D0766143

# MARSEILLE
## EN QUELQUES JOURS

**Caroline Delabroy**
**Isabelle Ros**

# Dans ce guide

## L'essentiel
Pour aller droit au but
et découvrir
la ville en un clin d'œil.

**Agenda**
Fêtes et événements
mois par mois.

**Les quartiers**
Se repérer

## Explorer Marseille
Sites et adresses
quartier par quartier.

**Les incontournables**
Pour tirer le meilleur
parti de votre visite

**100% marseillais**
Vivre comme un
habitant

## Marseille selon ses envies
Les meilleures choses
à voir, à faire,
à tester...

**Les plus belles balades**
Découvrir la ville à pied

**Envie de...**
Le meilleur
de Marseille

## Carnet pratique
Trucs et astuces
pour réussir votre
séjour.

**Hébergement**
Une sélection d'hôtels

**Transports et infos pratiques**

Notre sélection de lieux et d'adresses

##  Voir

## ⊗ Se restaurer

## ⊙ Prendre un verre

## ✪ Sortir

## 🔒 Shopping

### Légende des symboles

| | |
|---|---|
| ♪ Numéro de téléphone | ♥ Familles bienvenues |
| ⊙ Horaires d'ouverture | ✿ Animaux acceptés |
| P Parking | ▣ Bus |
| ⊖ Non-fumeurs | ▣ Ferry |
| @ Accès Internet | M Métro |
| 🛜 Wi Fi | ▣ Tramway |
| 🌱 Végétarien | ▣ Train |
| 📖 Menu en anglais | |

Retrouvez facilement chaque adresse
sur le plan détachable

**L'Escapade
Marseillaise**

66 ⊗ Plan E6

Ne vous laissez pas de
l'extérieur très discret
tenue par un jeun
ent chez Lior
en les proc
aisserie, 2ᵉ
Vieux-Por

## Marseille
## en quelques jours

Les guides En quelques jours
édités par Lonely Planet sont
conçus pour vous amener au
cœur d'une ville.

Vous y trouverez tous
les sites à ne pas manquer,
ainsi que des conseils pour
profiter de chacune de vos
visites. Nous avons divisé
la ville en quartiers pour un
repérage facile. Nos auteurs
expérimentés ont déniché
les meilleures adresses dans
chaque ville : restaurants,
boutiques, bars et clubs...
Et pour aller plus loin,
découvrez les endroits les plus
insolites et authentiques de la
cité phocéenne dans les pages
"100% marseillais".

Ce guide contient également
tous les conseils pratiques pour
éviter les casse-tête : itinéraires
pour visites courtes, moyens de
transport, etc.

Grâce à toutes ces infos,
soyez sûr de passer un séjour
mémorable.

## Notre engagement

Les auteurs Lonely Planet
visitent en personne, pour
chaque édition, les lieux dont
ils s'appliquent à faire un
compte-rendu précis. Ils ne
bénéficient en aucun cas de
rétribution ou de réduction
de prix en échange de leurs
commentaires.

## L'essentiel 7

Les incontournables ............ **8**
Vivre comme un habitant .. **12**
Agenda ........................... **14**
Marseille en 4 jours .......... **18**
Carte des quartiers .......... **20**

## Explorer Marseille 23

**24** Le Vieux-Port

**46** Le Panier et la Joliette

**60** Noailles, la Plaine et le Cours Julien

**74** Préfecture, Castellane et le Prado

**86** Canebière, Belsunce, Longchamp et Belle de Mai

**102** La Corniche, Endoume et Notre-Dame-de-la-Garde

**114** Les Calanques

### Vaut le détour

Aux portes des Calanques ................. **112**

## Marseille selon ses envies 125

### Les plus belles balades

Au pays de Pagnol .......... **126**

L'Estaque et la Côte Bleue .......... **128**

Dans les pas
de Marseille Provence 2013 .......... **130**

### Envie de...

Gastronomie locale .......... **132**

Marseille en famille .......... **134**

Shopping .......... **136**

Savon de Marseille .......... **137**

Vie nocturne .......... **138**

Se baigner .......... **139**

Traditions .......... **140**

Plonger à Marseille .......... **142**

Pétanque .......... **143**

Vivre à la marseillaise .......... **144**

## Marseille hier et aujourd'hui 147

## Carnet pratique 151

Transports .......... **152**

Circuler à Marseille .......... **153**

Infos utiles .......... **154**

Hébergement .......... **156**

# L'essentiel

Les incontournables.................................8

Vivre comme un habitant..........................12

Agenda...............................................14

Marseille en 4 jours...............................18

Carte des quartiers.................................20

## Bienvenue à Marseille !

Marseille suscite des avis très tranchés (positifs ou non) et ne laisse pas indifférent celui qui la découvre. On a tant parlé de ses mélanges de cultures, d'accents, de parfums et de couleurs que l'image a pris des allures d'Épinal. Et pourtant, à qui sait chercher, cette richesse est bel et bien présente. Et puis, il y a cette lumière si particulière, la mer et ce décor grandiose des collines enserrant la ville. Décidément, Marseille donne le sentiment de l'ailleurs.

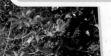

Vue sur le Vieux-Port depuis le Pharo (p. 108)
BASILE VAILLANT©

# Marseille
# Les incontournables

### Notre-Dame-de-la-Garde (p. 104)

Emblème de la ville et haut lieu touristique, la "Bonne Mère", si chère au cœur de tous les Marseillais, est le plus haut point de Marseille. Un nouveau musée raconte son histoire.

### Le Vieux-Port
(p. 30)

C'est ici, il y a 2 600 ans, que les Phocéens débarquèrent pour fonder Massalia. Pas de doute, l'histoire du Vieux-Port s'écrit avec un grand H ! Rendu en grande partie aux piétons, il offre une promenade des plus agréables.

### La Vieille-Charité et le Panier (p. 48)

Se tenant avec fierté au cœur du vieux quartier du Panier, dont les ruelles rappellent un peu l'Italie, cet ancien hôpital, œuvre de Pierre Puget, abrite aujourd'hui deux musées remarquables.

### Le MuCEM (p. 26)

Magnifiquement posé sur l'esplanade du J4 et signé par l'architecte Rudy Ricciotti, le nouveau Musée des civilisations de l'Europe et de la Méditerranée symbolise aussi l'engagement de l'État envers Marseille.

### Le quartier Noailles (p. 62)

Départ immédiat pour l'Orient ! Dans ce quartier populaire bat l'âme du vrai Marseille. On y vient faire son marché, se ravitailler en épices, goûter à de délicieuses pâtisseries orientales… et dénicher de bonnes affaires dans les bazars.

### Le palais Longchamp (p. 88)

Entouré de son beau parc, ce palais est une illustration éclatante des ambitions architecturales du siècle d'or marseillais. Il abrite le musée des Beaux-Arts et le Muséum d'histoire naturelle.

### La Corniche (p. 102)

Un air de *dolce vita* semble planer sur cette route sinueuse surplombant la mer jusqu'aux plages du Prado. À arpenter en voiture cheveux au vent, ou à pied, en prenant le temps de méditer sur l'interminable banc en pierre (le plus long du monde, dit-on !).

BASILE VAILLANT©

BASILE VAILLANT©

BASILE VAILLANT©

### La Cité radieuse
### Le Corbusier (p. 76)

Surnommée ici la "Maison du Fada" – c'est dire si elle a surpris lors de son édification entre 1947 et 1952 ! – la Cité radieuse du Corbusier est un monument de l'architecture contemporaine.

### Les Calanques
### (p. 114)

Un petit paradis aux portes de Marseille, désormais protégé par le statut de parc national. Les points de vue sur la Grande Bleue y sont féeriques, presque irréels, à deux pas de la ville bruyante et agitée.

### Les îles du Frioul
### (p. 28)

À une vingtaine de minutes en bateau du Vieux-Port, l'archipel du Frioul offre une escapade magnifique et sauvage. Vous croiserez tout d'abord If et son château, rendu célèbre par le comte de Monte Cristo.

# 100 % marseillais
# Vivre comme un habitant

*Conseils d'initiés pour découvrir le vrai Marseille*

Vivre comme un Marseillais, c'est avoir un rapport au temps et à l'espace qui bouscule les repères du simple citadin. La proximité de la mer y fait beaucoup, et aussi le caractère méditerranéen de la ville.

## Une balade au Panier (p. 50)

▶ Places de charme
▶ Adresses secrètes

Même si la série "Plus belle la vie" l'a rendu plus touristique, le Panier ne se laisse pas si facilement découvrir. Le plus vieux quartier de Marseille est tout en ruelles, placettes de charme et adresses coup de cœur.

## La tournée des bars du cours Ju et de la Plaine (p. 64)

▶ Ambiances de terrasses
▶ Le parler marseillais

Seul un puissant mistral peut décourager les Marseillais de s'asseoir en terrasse. Les quartiers du cours Julien, de la Plaine et de Notre-Dame-du-Monde concentrent une belle palette de propositions qui satisferont tous les goûts.

## Quartier libre à Longchamp (p. 92)

▶ Adresses gourmandes
▶ En famille

C'est un Marseille plus confidentiel que vous découvrirez en vous baladant dans ce quartier, que la proximité avec le parc Longchamp et l'arrivée du tramway ont rendu séduisant aux jeunes couples avec enfants.

## Les secrets de Malmousque (p. 106)

▶ Baignade
▶ Littoral

Le dépaysement n'est jamais très loin à Marseille. Glissez-vous dans le lacis de venelles, à la découverte de ce Malmousque enchanteur, d'où vous repartirez, sans nul doute, avec le rêve d'un cabanon.

## Aux portes des Calanques (p. 112)

▶ Baignade
▶ Restaurants de poisson

C'est encore Marseille, mais plus tout à fait la ville. Le cadre prend des allures de petits ports de pêche nichés au bout du monde. Les criques se succèdent et la roche calcaire des Calanques fleure bon les vacances et le farniente. Reste à trouver l'endroit idoine où poser son rond de serviette.

Le cours Julien (p. 66), le paradis du farniente en terrasse

Cabanon de Callelongue (p. 122)

### Autres lieux pour vivre le Marseille des Marseillais

La Part des Anges
(p. 41)

Polikarpov (p. 40)

Les Buvards (p. 55)

Café de la Banque
(p. 82)

Ioinou (p. 97)

La Cantinetta (p. 67)

Le Baron Perché
(p. 111)

L'Eau à la Bouche
(p. 107)

Le Comptoir
Dugommier (p. 98)

Les Danaïdes (p. 98)

# Agenda

L'Espace culture
(☎04 96 11 04 60 ;
www.espaceculture.net ;
42 la Canebière, 1er)
édite chaque mois l'agenda
gratuit *In situ* qui répertorie
tous les spectacles,
expositions, concerts, etc.
Vous pouvez aussi vous
renseigner auprès de l'office
du tourisme.

Le carnaval, une tradition typiquement provençale

**Marseille Provence 2013 / JANVIER
À MAI : épisode 1 "Marseille Provence
accueille le monde".**

## Janvier

### 🟠 La Pastorale

Cette pièce chantée en provençal retrace
l'histoire de la Nativité. Parfois un peu vieillotte
mais intéressante pour découvrir les traditions
du coin.

## Février

### 🟠 Fête de la Chandeleur

Le 2 février, une procession de pèlerins tenant
des cierges verts monte aux aurores vers
l'abbaye Saint-Victor. Les navettes, des biscuits
parfumés à la fleur d'oranger, sont ensuite
bénies par l'archevêque.

## Mars

### 🟠 Carnaval

Un défilé coloré et plein d'énergie qui arpente
chaque année les allées du Prado, du rond-
point à la statue de David, face à la mer.

### 🟠 Babel Med Music

**www.dock-des-suds.org**
Festival de musiques du monde.

## Avril

### 🟠 Semaine nautique
internationale de la Méditerranée
(SNIM)

**www.lanautique.com**
Grande course de voile dans la rade
marseillaise.

### 😵 Festival de musique sacrée

Une belle série de concerts donnés au sein de l'église Saint-Michel (5e arr.) dont l'acoustique est irréprochable.

### 😵 This is (not) music

**http://thisisnotmusic.org**
Street art, musiques actuelles, art contemporain, sports urbains pendant 40 jours consécutifs à la Friche.

### 😵 Yes We Camp !

Le Off de Marseille installe un camping arty à l'Estaque. À partir du 27 avril et jusqu'à mi-septembre.

## Mai

### 😵 La Massalia Cup

La grande épreuve de voile de l'année dans la rade de Marseille.

### 😵 Les Terrasses, de Kader Attia

Installation sur la digue du large, généralement inaccessible au public.
Du 31 mai au 29 septembre.

### 😵 Entre flammes et flots

Grande illumination du Vieux-Port dans le cadre du temps fort "La folle histoire des arts de la rue". Les 3 et 4 mai.

Marseille Provence 2013 / JUIN À AOÛT : épisode 2 "Marseille Provence à ciel ouvert".

## Juin

### 😵 Transhumance

Démarrée en mai, cette grande marche collective conduite par des cavaliers de toute l'Europe se clôture le 9 juin à Marseille.

### 😵 Le Grand Atelier du Midi

Le musée des Beaux-Arts consacre une grande exposition "De Van Gogh à Bonnard". Du 13 juin au 13 octobre.

### 😵 Le Noir et le Bleu, un rêve méditerranéen

Première exposition pour l'ouverture du MuCEM. De juin à décembre.

### 😵 Portraits de famille

200 familles de Marseille photographiées autour d'un fauteuil. Exposition au parc du 26e centenaire programmée dans le cadre du Off. Du 15 juin au 31 août.

### 😵 Festival du Soleil

Concerts, animations, ateliers, rencontres animent le quartier Noailles.

### 😵 Fête du Panier

**www.fetedupanier.com**
Une semaine plus tard, c'est au tour du **Panier** de mettre à l'honneur l'énergie de ses habitants avec sa fête annuelle.

### 😵 Cinéma en plein air

**http://cinetilt.blogspot.com**
De juin à août, des films classiques ou récents à déguster sous les étoiles et gratuitement au Panier, à Belsunce ou à la Plaine.

### 😵 Défi Monte-Cristo

**www.defimonte-cristo.com**
Épreuve de nage libre en mer au départ du château d'If.

### 😵 Le Festival de Marseille

**www.festivaldemarseille.com**
Une programmation pointue et de qualité qui met en avant danse, musique et théâtre contemporains. Court aussi sur juillet.

## Juillet

### ⚙ Festival Jazz des Cinq Continents

**www.festival-jazz-cinq-continents.com**
Pour écouter sous les arbres et sur les pelouses du parc Longchamp le meilleur du jazz.

### ⚙ Festival international du documentaire (FID)

**www.fidmarseille.org**
Pour les curieux et les professionnels, une centaine de créations sont projetées à la Criée.

### ⚙ Festival international de folklore de Château-Gombert

**www.roudelet-felibren.com**
Programmation éclectique, mettant en avant les danses traditionnelles du monde entier.

### ⚙ Festival Mimi

Dans le cadre magique de l'île du Frioul et de l'hôpital Caroline, un festival dédié aux musiques contemporaines accueillant des artistes venus du monde entier.

### ⚙ La Marseillaise à Pétanque

Un événement incontournable et haut en couleur qui voit s'affronter les meilleures équipes de niveau mondial.

### ⚙ Le Provençal 13

Dans le même esprit mais autour du jeu de longue, différent de la pétanque. Les deux compétitions ont lieu au parc Borély.

## Août

### ⚙ La fête de la Vierge

La communauté italienne du Panier célèbre en grande pompe et avec beaucoup de ferveur l'Assomption (15 août).

### ⚙ Les joutes de l'Estaque

Une tradition vieille de 2 000 ans, particulièrement festive. Chaque bateau est équipé de six rameurs et d'un jouteur, qui reste debout sur la plate-forme avant avec un bouclier et une lance.

. . . . . . . . . . . . . . . . . . . . . . . . . . . . . . . . . . . .

**Marseille Provence 2013 / SEPTEMBRE À DÉCEMBRE : épisode 3 "Marseille Provence aux mille visages".**

. . . . . . . . . . . . . . . . . . . . . . . . . . . . . . . . . . . .

## Septembre

### ⚙ Foire internationale de Marseille

**www.foiredemarseille.com**
Cette institution indéboulonnable se déroule depuis plus de 80 ans au parc Chanot.

### ⚙ Marsatac

**www.marsatac.com**
C'est *le* rendez-vous de la musique électro au sens large, idéal pour faire de bonnes découvertes musicales.

### ⚙ La fête du Plateau

**http://coursjulien.marsnet.org**
Les quartiers de la Plaine, de Notre-Dame-du-Mont et du cours Julien sont à l'honneur pendant tout un week-end.

### ⚙ La fête du Vent

Dans une ambiance familiale, on admire de magnifiques cerfs-volants jouer avec le mistral sur les plages du Prado.

### ⚙ Septembre en mer

**www.septembreenmer.com**
Pendant plus d'un mois, expos, visites guidées et animations sont organisés autour du thème de la Grande Bleue (commence fin août).

# Octobre

### 🎯 Le Corbusier au J1

Grande exposition sur Le Corbusier et la question du brutalisme. Du 11 octobre au 12 janvier.

### 🎯 Fiesta des Suds

**www.dock-des-suds.org**
Le rendez-vous festif de l'année au dock des Suds (2ᵉ arr.) autour des rythmes de la Méditerranée (concerts, expos, bodegas…).

### 🎯 Marseille-Cassis

**(www.marseille-cassis.com)**
Un semi-marathon légendaire et festif sur la route sinueuse et difficile de la montée de la Gineste qui relie l'obélisque de Mazargues au petit port de Cassis. Le dernier dimanche d'octobre.

### 🎯 Dansem

**www.officina.fr**
Festival de danse contemporaine en Méditerranée.

### 🎯 Festival mondial de l'image sous-marine

**www.underwater-festival.com**
Pour les passionnés de plongée.

# Décembre

### 🎯 La Foire aux santons

Les nombreux exposants vous permettront de commencer ou d'étoffer votre crèche en choisissant parmi des santons de tous styles et de toutes tailles.

### 🎯 Trocade

Le Off 2013 organise dans une dizaine de lieux la troisième édition de Trocade, pour découvrir les œuvres de jeunes artistes marseillais, le principe étant que les visiteurs proposent un troc sur un Post-It. Du 1ᵉʳ au 13 décembre.

# Marseille en 4 jours

## 1er jour

☀ Commencez par le **Vieux-Port** (p. 30). Regardez les pointus se balançant le long des pannes, amusez-vous de la fameuse poissonnière (souvent caricaturée) criant pour vendre sa marchandise. Visitez dans la foulée le **musée d'Histoire de Marseille** (p. 31). En bus (n°60) ou **petit train** (p. 45), montez ensuite à **Notre-Dame-de-la-Garde** (p. 104). De là-haut, vous comprendrez bien des choses de la géographie marseillaise.

☀ Revenez dans le centre pour le déjeuner. S'il fait beau, optez pour la terrasse du **Pointu** (p. 40), sur le cours d'Estienne-d'Orves, autrement la **Casertane** (p. 37) sera un bon refuge. C'est le moment de découvrir quelques boutiques de **créateurs marseillais** (p. 41) comme Sessùn, American Vintage ou Kulte. Les assidus de culture iront visiter le **musée Cantini** (p. 78).

☾ Envie de conclure cette première journée par un apéro sur la plage ? Direction la **plage du Prophète** (p. 109) ou les rochers de **Malmousque** (p. 106). Dînez ensuite d'une pizza à l'**Eau à la Bouche** (p. 10), qui passe pour l'une des meilleures de Marseille ou, si vous privilégiez le cadre – celui du magnifique **vallon des Auffes** (p. 108) – optez pour celle de **Chez Jeannot** (p. 110).

## 2e jour

☀ Profitez des premières heures de la matinée, où la **plage des Catalans** (p. 108) est encore calme et fréquentée par les habitants du quartier. Poursuivez la balade du côté du **jardin du Pharo** (p.108). Vous y aurez une vue magnifique sur le Vieux-Port et sur le MuCEM. Après un café au kiosque, allez repérer la programmation du **Théâtre de la Criée** (p. 43) ou prenez directement le bus n°82 pour faire le tour du port.

☀ Plusieurs adresses vous attendent pour déjeuner rue Caisserie, derrière l'**hôtel de ville** (p. 31), notamment l'**Escapade Marseillaise** (p. 56). Après le repas, poursuivez dans la rue Saint-Thomé et la rue Saint-Laurent jusqu'à la passerelle qui permet de relier le **fort Saint-Jean** (p. 27) et d'entrer dans le **MuCEM** (p. 26) par son toit-terrasse. En sortant, vous apercevrez à côté la **Villa Méditerranée** (p. 32). Mettez ensuite le cap sur la **Vieille Charité et le Panier** (p. 48).

☾ Pour la soirée, gagnez la **Plaine** (p. 66) et l'un de ses bars mythiques comme le **Petit Nice** (p. 65). Allez ensuite dîner de tapas à la **Tasca** (p. 70), avec ses bougies qui donnent un air si baroque au jardin à l'arrière. Pour terminer la soirée en dansant, le **Montana Blues** (p. 71) est un très bon repaire !

**Votre temps vous est compté ?**
Nous avons concocté pour vous des itinéraires détaillés qui vous permettront d'optimiser le peu de temps dont vous disposez.

## 3ᵉ jour

☀ Si vous êtes amateur de promenade matinale, sachez que le **parc Longchamp** (p. 89) ouvre ses portes dès 8h le matin. Sinon, attendez 10h l'ouverture du **musée des Beaux-Arts** (p. 89) et du **Muséum d'histoire naturelle** (p. 89). Après cela, descendez la **Canebière** (p. 94) à pied ou en tramway en direction du **quartier Noailles** (p. 62). Remplissez votre cabas d'épices et de fruits et n'oubliez pas de rendre visite à la **Maison Empereur** (p. 63).

☼ Déjeunez de fruits de mer chez **Toinou** (p. 97) et prévoyez de prendre un café sous le soleil du **cours Julien** (p. 66). Faites ensuite une tournée shopping auprès des petits créateurs locaux : **Floh** (p. 72), **Lolla Marmelade** (p. 72), **Les Fées Bizar(t)** (p. 73). Et si vous n'avez pas encore craqué pour du savon de Marseille, allez rendre visite à l'atelier de **La Licorne** (p. 73).

🌙 Pour rester dans la veine locale, revenez passer la soirée à Longchamp. Prenez l'apéro au **Lonchamp Palace** (p. 92) ou aux **Danaïdes** (p. 98). Regardez la programmation de la **Friche la Belle de Mai** (p. 90), allez-y passer la soirée s'il y a un événement ce soir-là ; vous pourrez aussi dîner sur place. Sinon, dînez italien à l'**Hosteria** (p. 93).

## 4ᵉ jour

☀ Partez de bon matin au **Frioul** (p. 28) pour y passer la matinée, et revenir après y avoir pique-niqué. Si vous aimez Dumas, faites un arrêt en route pour visiter le **château d'If** (p. 29) ! Une autre possibilité est d'opter pour une **croisière dans les calanques** (p. 44), toujours au départ du Vieux-Port. Un bon moyen d'appréhender ces paysages si vous n'êtes pas véhiculé ou sportif.

☼ Consacrez votre après-midi à la découverte de la **Cité radieuse** (p. 76) du Corbusier puis, pour rester dans l'ambiance arty, prenez le bus n°23 ou 45, en direction de Marseille-Marseilleveyre, et visitez le **musée d'art contemporain** (p. 78). S'il vous reste du temps, promenez-vous dans le **parc Borély** (p. 79). Vous pouvez également y visiter le **musée des Arts décoratifs, de la Faïence et de la Mode** (p. 79).

🌙 Réservez le soir pour un dîner dans le **port de la Madrague** (p. 113), la **calanque de Saména** (p. 113) ou, sur la route des Goudes, au **Tiboulen de Maïre** (p. 113). **Callelongue** est aussi une possibilité (p. 113), et l'occasion de découvrir le chemin permettant de découvrir plus avant les **calanques** (p. 114). Et d'y revenir y consacrer une journée entière.

# Marseille
# Les quartiers

## Le Panier et la Joliette (p. 46)

L'un réunit dans des ruelles étroites et sinueuses l'âme de Marseille, l'autre, en pleine mutation, dessine la ville de demain.

### ⊙ Les incontournables
La Vieille-Charité

Le Panier

## Le Vieux-Port (p. 24)

C'est le point névralgique de la ville. Découvrez les deux forts qui le gardent, le marché aux poissons et la belle balade jusqu'au MuCEM

### ⊙ Les incontournables
Le MuCEM

Les îles du Frioul

*Le MuCEM*

*La Corniche*

*Les îles du Frioul*

## Corniche, Endoume et Notre-Dame-de-la-Garde (p. 102)

Avec la belle bleue pour horizon, la salinité palpable dans l'air, ces quartiers chics confèrent à la ville des airs balnéaires.

### ⊙ Les incontournables
Notre-Dame-de-la-Garde

## Préfecture, Castellane et le Prado (p. 74)

Des quartiers où la gouaille du centre-ville cède la place à l'envers cossu, policé et résidentiel de Marseille. On y trouve la Cité radieuse, le Vélodrome et le MAC.

### ⊙ Les incontournables
La Cité radieuse Le Corbusier

La Friche
la Belle de Mai

Le palais
Longchamp

La Vieille-Charité
et le Panier

Le quartier
Noailles

Le Vieux-Port

Notre-Dame-
de-la-Garde

La Cité radieuse
Le Corbusier

↓ vers les Calanques

**Canebière, Belsunce, Longchamp et Belle-de-Mai (p. 86)**
L'avenue la plus célèbre de Marseille, le bouillonnant Belsunce, Longchamp, son palais, ses deux musées et son parc, et un lieu culturel investissant une friche : tout, en ces lieux, est question de foisonnement.

**◉ Les incontournables**
Le palais Longchamp
La Friche la Belle de Mai

**Noailles, La Plaine, Cours Julien (p. 60)**
Le Marseille vivant, commerçant, créatif, où l'on vient aussi bien pour se ravitailler en épices que pour prendre un verre en terrasse.

**◉ Les incontournables**
Le quartier Noailles

# Explorer
# **Marseille**

Le Vieux-Port............................ 24

Le Panier et la Joliette................ 46

Noailles, la Plaine
et le Cours Julien ...................... 60

Préfecture, Castellane
et le Prado................................ 74

Canebière, Belsunce,
Longchamp et Belle de Mai ........ 86

La Corniche, Endoume
et Notre-Dame-de-la-Garde ...... 102

Les Calanques .......................... 114

**Vaut le détour**
Aux portes des Calanques.... 112

Coucher de soleil sur le Vieux-Port (p. 30)
BASILE VAILLANT©

Explorer

# Le Vieux-Port

Ils ont changé le Vieux-Port ! L'année 2013 aura vu les travaux de (semi)-piétonisation s'achever pour laisser apparaître une place aux larges proportions. Plus que jamais, le Vieux-Port affirme son positionnement névralgique. Si l'ensemble dégage un aspect très minéral, le marché aux poissons assure toujours l'ambiance sous l'ombrière. On a coutume de dire qu'ici s'entendent tous les accents marseillais.

# L'essentiel en un jour

☀ Un petit-déjeuner à **La Caravelle** (p.39) s'impose pour débuter la journée. C'est en effet l'un des rares lieux qui offrent une vue en hauteur sur le Vieux-Port et Notre-Dame-de-la-Garde. Flânez ensuite sur les quais. En vous plaçant face à la mer, vous êtes déjà ailleurs : oubliez les cars de touristes et admirez les barquettes marseillaises qui se balancent au gré du vent. Ne manquez pas le célèbre **marché aux poissons** (p. 43) et ses saynètes, certes un peu clichées, mais qui font Marseille.

☀ Déjeunez à **La Table à Deniz** (p.38) ou à **Déjeuner en Ville** (p.36). Vous voilà d'attaque pour le **musée d'Histoire de Marseille** (p. 31) et le **jardin des Vestiges** (p. 31), pour être incollable sur le passé de la ville. Mettez ensuite le cap vers le fort Saint-Jean pour aller admirer le **MuCEM** (p. 26). Au retour, amusez-vous à prendre le **ferry-boat** (p. 33) au niveau de l'hôtel de ville, qui vous conduira sur l'autre rive.

☾ Là, vous devriez être peu ou prou à l'heure de l'apéro. Vous n'avez que l'embarras du choix des terrasses sur le **cours d'Estienne-d'Orves** (p. 35). On aime bien celle du **Pointu** (p. 40), qui propose une carte de tapas. Vous pouvez ensuite poursuivre la soirée dans les nombreux restos environnants ou, si vous avez repéré un spectacle, aller à l'**Opéra** (p. 34) ou au **Théâtre de la Criée** (p. 43).

## 👁 Les incontournables

Le MuCEM (p.26)

Les îles du Frioul (p.28)

## ♥ Le meilleur du quartier

**Cuisine provençale**

Chez Madie-Les-Galinettes (p. 35)

L'Oliveraie (p. 38)

La Table à Deniz (p. 38)

**Shopping local**

La Maison du Pastis (p. 43)

Marseille in the Box (p. 44)

## Comment y aller

Ⓜ **Métro** La station Vieux-Port est desservie par la ligne 1.

🚌 **Bus** De nombreuses lignes de bus s'arrêtent au Vieux-Port. Parmi les principales : 41S (Canebière-Bourse/Rond-Point-du-Prado), 49 (Canebière-Bourse/Réformés-Canebière), 55 (Joliette/Roucas-Blanc), 60 (Fort Saint-Jean/Notre-Dame-de la Garde), 82 S (Saint-Charles/Pharo Catalans).

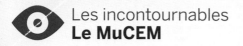

## Les incontournables
**Le MuCEM**

Tout beau, tout neuf, le Musée des civilisations de l'Europe et de la Méditerranée (MuCEM) est déjà un incontournable (ouverture en juin 2013). D'abord parce qu'il ouvre de nouvelles perspectives sur la ville et un accès inédit au fort Saint-Jean. Ensuite parce qu'il entame une autre histoire pour l'esplanade du J4, autrefois l'un des grands hangars du port. Seul musée national entièrement décentralisé, le musée symbolise l'engagement de l'État envers Marseille. Il vient en outre apporter un formidable outil à la cité phocéenne, qui se rêve reine de la Méditerranée.

◎ Plan C4

www.mucem.org

Esplanade du J4

Tarif plein/réduit/-18 ans
8/5 €/gratuit

🕙 tlj sf mar été 11h-19h,
hiver 11h-18h, 11h-22h ven

Ⓜ Joliette ou Vieux-Port,
tram ligne 2 arrêt Joliette
ou République/Dames,
bus 82 et 60 (arrêt fort
Saint-Jean ou MuCEM)
ou 49 (arrêt Église Saint-
Laurent)

# À ne pas manquer

## L'architecture signée Rudy Ricciotti

Le MuCEM, c'est d'abord une architecture à découvrir. Posé à l'entrée du Vieux-Port, entouré par la mer, le bâtiment conçu par Rudy Ricciotti fait sensation. L'architecte aime à parler de "casbah verticale" pour ce carré parfait de 72 mètres de côté, tenu par des structures arborescentes élancées. À la façon d'un moucharabieh, une résille de béton noir, très graphique et réactive à la lumière, habille le toit et deux des façades. Entre le carré central et la résille, deux rampes entrelacées invitent à une promenade "démusoïfiante" selon les termes de l'architecte. À l'abri du soleil mais pas des embruns et des bruits de la mer, le visiteur peut ainsi, de l'extérieur, avoir une vue sur les expos.

## Les collections et expos temporaires

Le musée comprend plus de 4 000 m² d'espaces d'exposition. La collection permanente prend place au rez-de-chaussée, dans la galerie de la Méditerranée. Elle provient pour l'essentiel de l'ancien fonds du musée des Arts et Traditions populaires à Paris. Renouvelé tous les trois à cinq ans, l'accrochage entend mettre en perspective le monde méditerranéen. Jérusalem, l'invention du citoyen et les inventions des agricultures sont quelques-uns des premiers thèmes abordés. Viennent s'ajouter des expos temporaires, de trois à cinq chaque année.

## Le fort Saint-Jean

Témoin de l'histoire civile et militaire de Marseille, le fort Saint-Jean s'ouvre pour la première fois au public. Il accueille notamment les collections d'art forain, de marionnettes, de manèges avec leurs chevaux de bois... Un jardin méditerranéen y est aussi aménagé.

## ☑ À savoir

▶ Les extérieurs du musée sont accessibles gratuitement aux horaires d'ouverture.

▶ Un parcours interactif et ludique adapté aux 7-12 ans est situé au rez-de-chaussée du J4.

▶ Les passerelles hautes reliant le J4 au fort Saint-Jean et le fort Saint-Jean et l'esplanade Saint-Laurent offrent de très beaux points de vue.

▶ Il est prévu que l'esplanade du fort Saint-Jean accueille des rendez-vous réguliers (soirées opéra, apéros-concerts, cinéma en plein air...).

## ✗ Une petite faim ?

Le musée a fait appel au chef trois étoiles du Petit Nice, Gérald Passédat, qui ouvre un restaurant gastronomique sur le toit-terrasse du MuCEM et un café-restaurant avec terrasse sur le site du fort Saint-Jean.

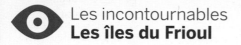

## Les incontournables
# Les îles du Frioul

Un archipel à une vingtaine de minutes du Vieux-Port. C'est ce qu'offrent les îles du Frioul, tel un précieux pendentif enserré dans l'arrondi des bras de la rade. Le bateau fait escale au château d'If, pour marcher sur les pas du comte de Monte-Cristo. Pour profiter au mieux de cette escapade magnifique, on prendra soin d'embarquer avec soi des baskets, un maillot de bain et un pique-nique. Et d'emporter ses déchets : nous sommes ici dans un milieu naturel fragile.

Navettes Frioul-If-Express www.frioul-if-express.com

quai de la Fraternité

☎ 04 96 11 03 50

A/R tarif plein/famille 10,10/7,60 €, gratuit pour les moins de 4 ans.

⊗ tlj. Horaires variables selon les saisons et la météo.

Ⓜ Vieux-Port

# À ne pas manquer

### Le château d'If

En bateau, vous croiserez tout d'abord l'île If et son célèbre **château** (http://if.monuments-nationaux.fr ; ☺mi-mai à mi-sept tlj 9h30-18h10, mi-sept à fin mars tlj sf lun 9h30-16h45, avr à mi-mai tlj 9h30-16h45. Dernière visite en fonction des horaires de bateau ; billet combiné avec le bateau A/R tarif plein/famille 15,20/11,40 €). Rien ne vous oblige à débarquer mais si votre cœur a palpité aux péripéties du célèbre comte de Monte-Cristo, vous foulerez l'endroit exact d'où le héros d'Alexandre Dumas s'échappa. Le roman rejoignant ici la réalité, des preuves de son évasion ont été conservées dans l'une des cellules !

### Randonnée et farniente

Sur le Frioul, vous pourrez, au choix, vous baigner dans des eaux limpides (plages de la Maison des Pilotes, du havre de Morgiret, du Débarcadère ou calanque de Saint-Estève), ou partir en balade sur ce caillou aride (l'endroit le plus sec de France !) plein de charme. Des sentiers sont balisés sur Ratonneau et Pomègues, les principales îles de l'archipel, reliées entre elles par la digue du Berry.

### L'hôpital Caroline

Dès le XVIe siècle, les îles du Frioul servaient de lieu de quarantaine pour les navires arrivant à Marseille. Un dispositif qui n'empêcha toutefois pas le *Grand Saint-Antoine* d'introduire, en 1720, la peste qui décima la moitié de la population phocéenne. Au XIXe siècle, l'hôpital Caroline est construit sur l'île Ratonneau par l'architecte Michel Robert Penchaud (à qui on doit aussi la porte d'Aix) pour soigner les malades atteints de la fièvre jaune. Aujourd'hui, il ne reste que des ruines. Cependant, la chapelle, aux allures de temple grec, présente un réel intérêt architectural et l'endroit devient magique en été, certains soirs de concerts.

## ☑ À savoir

▶ Le château d'If est fermé le lundi, de mi-septembre à fin mars.

▶ Il est possible d'acheter son billet la veille. En haute saison, pensez à réserver. Prévoyez d'arriver un peu à l'avance sur l'heure du retour : il n'est pas rare de devoir attendre un second bateau.

▶ Le premier sentier sous-marin de Marseille a été inauguré sur la plage Saint-Estève. En accès libre durant l'été, il est équipé de cinq bouées avec panneaux immergés sur la faune et la flore. À vos palmes, masques et tubas !

▶ Si vous êtes fan de musiques innovantes, ne manquez pas le Festival MIMI, qui se tient chaque année au Frioul début juillet.

## ✕ Une petite faim ?

Vous trouverez sur le port de Frioul quelques cafés-restaurants et une supérette ainsi qu'une buvette sur la plage Saint-Estève.

# Voir

## Vieux-Port
PROMENADE URBAINE

👁 Plan F6

Posté face à la mer, imaginez-vous que c'est ici, il y a 2 600 ans, que les Phocéens débarquèrent pour fonder Massalia. L'ancienne calanque du Lacydon, devenue le Vieux-Port, est aujourd'hui un point central de Marseille. Le Vieux-Port a littéralement changé de visage avec les travaux de semi-piétonisation, achevés en janvier 2013, qui dégagent une

---

☑ À savoir

### Repères

Pour vous situer, placez-vous de telle manière à avoir la Canebière dans le dos et la mer en face. Le quai de la Fraternité (le quai des Belges a été rebaptisé ainsi à l'occasion des récents travaux) est devant vous. À votre droite, sur la rive droite, se trouve le quai du Port. Il mène à l'hôtel de ville, au fort Saint-Jean et au MuCEM. À votre gauche, sur la rive sud, se situent le quai de Rive-Neuve, le cours d'Estienne-d'Orves, le Théâtre de la Criée et le fort Saint-Nicolas. Le port compte plus de 3 500 anneaux, mais cela est désormais un luxe d'avoir une place ici pour son bateau. Le Frioul, moins pratique, offre davantage de possibilités.

---

vaste place piétonne, l'une des plus grandes d'Europe se targue la ville. Une ombrière, signée de l'architecte Norman Foster, est implantée sur l'esplanade, sur l'un des côtés pour ne pas rompre la perspective depuis la Canebière. L'ensemble dégage volontairement un aspect très minéral, trop jugent certains. Un seul arbre se trouve quai du Port, une vision presque poétique... Les clubs nautiques sont désormais installés sur des "estacades" aménagées sur l'eau, avec de nouveaux cabanons tout en bois. Le piéton retrouve ainsi la vue sur les bateaux du port. Une seconde phase de travaux est prévue à l'horizon 2020, qui devrait apporter un aspect plus végétal en liaison avec le fort Saint-Nicolas et l'anse du Pharo.

## Église Saint-Ferréol-Les Augustins
ÉDIFICE RELIGIEUX

1 👁 Plan H6

Un havre de paix dans l'agitation du centre-ville non dénué d'intérêt architectural. Située à l'angle du Vieux-Port et de la rue de la République, cette église fut bâtie à la fin du XV$^e$ siècle, sur les vestiges d'une construction plus ancienne qui appartenait aux Templiers. En 1804, pour permettre l'ouverture d'une rue, elle fut amputée de deux travées, et dotée, en 1975, d'une façade blanche en ciment. Remarquez, dès l'entrée, l'autel en marbre polychrome. (quai de la Fraternité, 1$^{er}$ ; ⏰ tlj 9h-12h et 15h-18h ; Ⓜ Vieux-Port)

## Musée d'Histoire de Marseille

VINGT-SIX
SIÈCLES D'HISTOIRE

2 ⊙ Plan I5

Un drôle d'endroit, situé sous le Centre-Bourse, galerie commerciale à laquelle un récent habillage extérieur tente de faire oublier l'architecture effrayante ! La raison de l'emplacement de ce musée est simple : c'est au moment de la construction du Centre que des remparts, une nécropole, des puits, des bassins et des aménagements portuaires (la mer avançait jusque-là !) d'époques grecque et romaine furent mis au jour. D'où la création du jardin des Vestiges (désormais appelé "port antique", entrée rue Henri-Barbusse) et du musée. Inauguré au 1ᵉʳ juin 2013, le nouveau musée offre un espace agrandi et une muséographie renouvelée qui intègre à son parcours de visite le port antique. L'histoire de la ville, depuis sa fondation à nos jours, est abordée en différentes séquences autour du fil rouge de la navigation. Espérons que les travaux n'auront pas fait fuir les nombreux chats du jardin. (☎04 91 90 42 22 ; 17 square Belsunce, 1ᵉʳ ; tarif plein/réduit 5/3 € ; ⊙tlj sf lun 10h-18h ; Ⓜ Vieux Port)

## Immeubles Pouillon

ARCHITECTURE

⊙ Plan E6 à G5

D'imposants immeubles des années 1950, aux lignes géométriques et percés d'arcades le long du quai du Port, signés Fernand Pouillon, l'architecte de la reconstruction. En 1943, le quartier fut en effet en grande partie détruit par les Allemands. Juifs et résistants du quartier furent déportés et 1 482 maisons disparurent.

## Hôtel de ville

ÉDIFICE MUNICIPAL

3 ⊙ Plan F5

Un bel exemple de l'insoumission de Marseille ! Construit au XVIIᵉ siècle face à l'arsenal des galères, ce bâtiment occupait alors une position stratégique : les échevins (membres du corps municipal avant la Révolution) pouvaient ainsi affirmer leur pouvoir face à celui du roi, sur l'autre rive. On doit probablement cette architecture baroque, épargnée par les bombardements de 1943, à Pierre Puget. Le lieu ne se visite pas et vous ne pourrez contempler que le calcaire rosé et les éléments sculptés de la façade. Un petit tour à l'arrière s'impose, pour admirer le pont couvert

---

✅ À savoir

### Navettes

La RTM a mis en place en 2013 une navette électrique (cela sera reconduit selon le succès) qui circule toutes les douze minutes entre le fort Saint-Jean et le Pharo, tous les jours (sauf le 1ᵉʳ mai) de 10h à 20h. Une petite révolution pour Marseille qui ne connaissait pas jusqu'alors un tel mode de déplacement doux. Titre vendu à bord : 0,50 €.

du XVIIIe siècle, relié au bâtiment principal, classé monument historique en 1948. À droite, la place Bargemon abrite, en sous-sol, la salle du conseil municipal et, à gauche de l'hôtel de ville, jetez un coup d'œil à la place Jules-Verne, plantée de beaux oliviers.

### Maison diamantée HÔTEL PARTICULIER

4  Plan F5

Accueillant un temps le musée du Vieux Marseille, dont les collections sur la vie quotidienne au XVIIIe siècle ont été transférées au musée d'Histoire, puis l'association Marseille Provence 2013, la Maison diamantée ne se visite plus. Vous pourrez toujours admirer de l'extérieur cet hôtel particulier, qui daterait du XVIIe siècle et aurait appartenu à de riches négociants. Sa façade est une réelle curiosité esthétique, qui doit son nom à son bossage en forme de diamant. (2 rue de la Prison, 2e ; Ⓜ Vieux-Port)

### Musée des Docks romains          MÉMOIRE MARITIME

5  Plan F5

Pour les passionnés de vestiges romains et de l'histoire marchande de la ville. Ce musée est situé à l'emplacement des entrepôts commerciaux antiques, mis au jour pendant les opérations de reconstruction du Vieux-Port, après la guerre. On y trouve des *dolia*, grandes jarres romaines qui servaient notamment au stockage du vin, et

✅ À savoir

### Les forts

Deux forts, non pas pour défendre la ville, mais pour obliger les Marseillais à se tenir tranquilles ! Situé sur la rive nord du port, le fort Saint-Jean (p. 27) fut construit en 1660, en lieu et place d'une chapelle édifiée par l'ordre de Saint-Jean de Malte au XIIIe siècle. Louis XIV entendait affirmer ainsi son autorité sur les Marseillais, rétifs à sa politique d'assimilation. En face, le fort Saint-Nicolas, bâti lui aussi par le Roi-Soleil et appartenant aujourd'hui à l'armée, ne se visite qu'exceptionnellement, avec l'office du tourisme. Ses jardins sont cependant ouverts au public.

divers objets découverts dans des épaves de bateaux ayant coulé dans la rade ou à proximité. (☎ 04 91 91 24 62 ; 10 place Vivaux, 2e ; 2/1 € ; ☉ tlj sf lun 10h-18h, tarif plein/réduit 3/2 € ; Ⓜ Vieux-Port)

### Villa Méditerranée          EXPOSITIONS

6  Plan C4

Sur l'esplanade du J4, la Villa Méditerranée a été voulue par la région comme un lieu dédié aux grands enjeux actuels méditerranéens. Son architecture, signée de l'Italien Stefano Boeri, n'a pas grand-chose, pour ne pas dire rien à voir avec le MuCEM à côté. Pas d'idée d'ensemble donc, dans ce voisinage qui semble subi plus que réfléchi. Le bâtiment, cela dit, surprend par son avancée en porte-à-faux de 40 mètres, au-dessus d'un bassin mis en eau. Ouverte en 2013, la villa entend vias ses expositions et sa programmation culturelle rendre accessibles au grand public des thématiques traditionnellement réservées aux chercheurs (économie, urbanisme, révolutions politiques, environnement, etc.). (📞04 95 09 44 00 ; www.villa-mediterranee.org ; esplanade du J4, 2ᵉ ; ⊙mar-jeu 12h-19h, ven 12h-22h, sam-dim 10h-19h ; Ⓜ Vieux-Port ou Joliette, bus 49, 82, 60, T2 arrêt République/Dames ou Joliette)

## Musée Regards de Provence    FONDATION

7 ◎ Plan D4

Face au MuCEM, ce nouveau musée investit l'ancienne station sanitaire construite en 1948 par les architectes Champollion, Fernand Pouillon et René Egger, pour contrôler les cas suspects d'épidémie chez les passagers débarquant au port. On le doit à la Fondation Regards de Provence, dont la collection rassemble les œuvres d'artistes influencés par le Sud, du XVIIIᵉ siècle à nos jours. Une salle est dédiée à l'histoire de la station, et l'ouverture d'un restaurant sur le toit est prévue. (📞04 91 42 51 50 ; www.museeregardsdeprovence.com ; quai de la Tourette, av. Vaudoyer, 2ᵉ : tarif plein/réduit 6/2-5€ ; ⊙tlj 10h-18h, jusqu'à 21h ven)

## Église Saint-Laurent    PATRIMOINE RELIGIEUX

8 ◎ Plan D5

Elle est à visiter d'abord pour l'esplanade de la Tourette, face au fort Saint-Jean, qui offre une vue imprenable sur le Vieux-Port,

---

### 100% marseillais

#### Ferry-boat

Prononcez *ferry boât* ! Marseille se vante de posséder, depuis 1880, la plus petite ligne de ferry du monde ! Elle sert à relier en deux minutes les deux rives du port, de l'hôtel de ville à la place aux Huiles, et inversement. Cela vous épargnera une marche d'au moins 10 minutes (!) mais vous offrira, surtout, l'occasion d'une minicroisière gratuite. Seul hic : ses horaires très limités (⊙en théorie tlj 8h30-12h30 et 13h-17h, jusqu'à 19h en été) et ses arrêts fréquents. Le catamaran qui a remplacé en 2010 le célèbre *César* ne semble en effet pas remplir toutes ses promesses techniques. Lorsque le *César* sera réparé – il a été classé Monument historique – il devrait assurer une seconde liaison entre le Vieux-Port et le fort Saint-Jean. Il est question qu'il fasse étape au fort Saint-Nicolas. De 1905 à 1944, dans un tout autre style, un pont transbordeur haut de 86 mètres permettait aux véhicules et aux piétons de passer d'une rive à l'autre, à hauteur des deux forts. Détruit par un bombardement allié en 1944, il ne fut jamais reconstruit.

et désormais également pour la passerelle qui mène au fort. Érigée au XIIe siècle, l'église est très vite devenue la paroisse des pêcheurs et des marins. Très endommagée par la destruction du quartier en 1943, elle a quand même conservé toute la beauté de son architecture romane en calcaire rose. À ses côtés, vous pourrez admirer la chapelle Sainte-Catherine, construite en 1604, dont la voûte à décor de liernes et de tiercerons (gothique tardif) est un cas unique à Marseille. (☏04 91 90 01 82 ; 16 esplanade de la Tourette, 2e ; ⊙mar-sam 14h-18h30)

### Opéra                    MONUMENT

9 ◉ Plan J7

Une intéressante cohabitation des styles néoclassique et Art déco. Inauguré en 1787, le Grand Théâtre fut conçu par l'architecte Joachim Bénard comme "un temple de la musique et

de la danse néoclassiques". Mais, en 1919, un incendie dévasta le bâtiment et seuls les murs maîtres, la colonnade ionique et la façade principale en pierre de taille furent épargnés. Il fut restauré entre 1919 et 1924 dans un style Art déco, se mêlant savamment avec l'architecture d'origine. Une récente rénovation lui a redonné toute sa splendeur. Les rues autour de l'Opéra abritent des bars à hôtesses, mais ce n'est plus vraiment le quartier chaud d'autrefois. (☏04 91 55 11 10 ; http://opera.marseille.fr ; 2 rue Molière, 1er ; Ⓜ Vieux-Port)

### Abbaye
### Saint-Victor            PATRIMOINE RELIGIEUX

10 ◉ Plan D8

Ses tours crénelées lui donnent l'allure d'un château médiéval. Surplombant le Vieux-Port, ce fut d'abord une carrière de calcaire dans l'Antiquité, puis une nécropole

Q 100% marseillais

**Une sardine grosse comme çaaaa !**

Si d'aventure vous entendez parler de cette fameuse sardine qui aurait bouché l'entrée du Vieux-Port, ne vous moquez pas, nous avons des preuves ! Certaines théories font allusion à un gigantesque banc de sardines qui se serait échoué, au XVIe siècle, à l'entrée du Vieux-Port, mais il est plus raisonnable de pencher pour une version plus nautique. Le 19 mai 1780, une frégate de 550 tonneaux, à la suite d'une erreur de manœuvre, coula en entrant dans la passe. Ce vaisseau se nommait *Monsieur de Sartine*, en l'honneur du ministre de la Marine de Louis XVI. Les armes du gentilhomme formant "une bande d'azur aux trois sardines d'argent", le sens de l'humour local eut tôt fait de donner à ce banal incident naval tout le relief qu'il méritait.

au début de l'ère chrétienne. Des moines s'y installèrent en 977. Pendant la Révolution, le lieu fut transformé en caserne et en prison, et ne fut rendu au culte que sous l'Empire. Une restauration fut entreprise à partir de 1895. Son dépouillement est caractéristique de l'art roman provençal, mais le plus impressionnant reste sans aucun doute les cryptes. Celles-ci renferment des sarcophages remontant, pour certains, au IIe siècle, et surtout la mystérieuse Vierge noire en noyer polychrome, qui date du XIIIe siècle et se retrouve chaque année au centre de la procession de la Chandeleur. (☑04 96 11 22 60 ; www.saintvictor.net ; 3 rue de l'Abbaye, 7e ; entrée crypte 2 € ; ☺tlj 9h-19h ; Ⓜ Vieux-Port)

## Cours d'Estienne-d'Orves   PLACE PIÉTONNE

◉ Plan G7

La *dolce vita* dans un cadre de *piazza* romaine ! C'est là que se tenait l'arsenal des galères de Louis XIV, détruit en 1784. Il en reste encore quelques vestiges, comme l'ancienne capitainerie, devenue l'Etap Hôtel (p. 154). Jusqu'en 1925, un canal occupait une bonne partie de la place, et, à des heures moins glorieuses, dans les années 1960, fut construit un horrible parking en silo, détruit fort heureusement en 1987. Aujourd'hui, les nombreuses terrasses rendent cette zone piétonne très agréable.

Q 100% marseillais
## Les barquettes

Les barquettes traditionnelles marseillaises sont à l'origine de petits bateaux de pêcheurs. Elles ne sont pas faites pour aller loin en mer, mais naviguer tranquillement dans la baie de Marseille. L'association Boudmer (☑04 91 91 15 86 ; www.boudmer. org) travaille à sauvegarder ce pan du patrimoine local. Elle a ainsi restauré plusieurs de ces barquettes, dont beaucoup étaient à l'état d'épaves. L'équipe fait partager le plaisir de la navigation à tous ceux qui le souhaitent, soit en participant aux sorties programmées soit en louant individuellement un bateau (70-80 € les trois heures).

# Se restaurer

## Chez Madie-Les Galinettes   TRADITIONNEL €€

11 ✗ Plan E5

Une cuisine provençale de qualité, façon "grand-mère". C'est l'endroit idéal pour goûter les fameux pieds et paquets marseillais ou une petite bouillabaisse. Pour les carnivores, le lieu est aussi réputé pour ses viandes (le papa de Madie était chevillard). Et c'est l'un des seuls endroits à Marseille où vous pourrez goûter aux aliboffis... Les peintres locaux ont la mainmise sur la déco. (☑04 91 90 40 87 ; 138 quai du Port, 2e ; ☺fermé dim soir ; Ⓜ Vieux-Port)

### La Virgule BISTROT CONTEMPORAIN €€€

12  Plan E5

L'endroit avait été créé dans l'esprit "bistrot gastronomique" par le chef étoilé Lionel Lévy, qui depuis est parti vers de nouvelles aventures. Le jeune chef Christopher Pereda a repris le tablier. La carte est moins sophistiquée mais la qualité des produits au rendez-vous. (📞04 91 90 91 11 ; 27 rue de la Loge, 2e ; 🕐fermé dim soir et lun ; Ⓜ Vieux-Port)

### Le Miramar POISSONS ET CRUSTACÉS €€€€

13  Plan H5

C'est *le* spécialiste de la bouillabaisse sur le Vieux-Port. Ce restaurant est d'ailleurs à l'origine de la charte de la bouillabaisse, fort utile pour éviter les nombreux attrape-touristes ! À la carte également, poissons grillés et fruits de mer. (📞04 91 91 10 40 ; 12 quai du Port, 2e ; 🕐fermé lun ; Ⓜ Vieux-Port)

### La Kahéna CUISINE TUNISIENNE €€

14  Plan H5

En plus de 30 ans, cette sympathique table tunisienne a nettement fait ses preuves. Dans une grande salle aux céramiques bleu et blanc, on se régale de copieux couscous à la graine fine et légère. Étant donné le brouhaha ambiant, le lieu est plus adapté à une soirée entre amis qu'à un tête-à-tête romantique. (📞04 91 90 61 93 ; 2 rue de la République, 1er ; 🕐tlj ; Ⓜ Vieux-Port)

### Déjeuner en ville PLATS DU JOUR €

15  Plan H5

Cuisine familiale et ambiance de petit bistrot à l'ancienne. L'accueil souriant, la chaleur des boiseries, les tableaux colorés qui changent selon l'humeur et, bien sûr, les bons petits plats, en font une adresse où l'on se presse volontiers. Le soir seulement sur réservation, pour un minimum de 12 personnes. (📞04 91 90 35 59 ; 3 bis rue de la Coutellerie, 1er ; 🕐ts les midis, sf dim ; Ⓜ Vieux-Port)

### O'stop À TOUTE HEURE €

16  Plan H7

Une institution pour les noctambules. Si elle n'est pas vraiment gastronomique, la cuisine est correcte, familiale et aura le mérite de vous rassasier. À toute heure du jour et de la nuit, vous dégusterez paupiettes, lasagnes, daube, poulet…(📞04 91 33 85 34 ; 16 rue Saint-Saëns, 1er ; 🕐tlj 24h/24 ; Ⓜ Vieux-Port)

### Le Falafel SPÉCIALITÉS MOYEN-ORIENTALES €

17  Plan F6

Vous êtes ici au royaume du falafel, ces boulettes de pois chiches hachés, servies dans un pain pita ou une assiette, avec des crudités et une sauce au yaourt, à emporter ou à déguster sur place. N'hésitez pas à goûter aussi les autres spécialités. (📞04 91 54 08 55 ; 5 rue Lulli, 1er ; 🕐12h-15h30 et 19h30-minuit, fermé ven soir et sam ; Ⓜ Vieux-Port)

La fameuse bouillabesse du Miramar

### Le Mas de Lulli  TRADITIONNEL €€

**18**  Plan J8

Même style que l'Q'stop, mais avec une carte plus fournie et des prix légèrement plus élevés. Là aussi et selon l'heure, vous croiserez un échantillon assez complet de la faune marseillaise du coin, de l'hôtesse de bar à la mamie du quartier, en passant par le travailleur matinal. (📞04 91 33 25 90 ; 4 rue Lulli, 1er ; 🕙tlj sf dim 11h-2h ; Ⓜ Vieux-Port)

### Chez Vincent  CUISINE ITALIENNE €€

**19** Plan H7

Une petite pizzeria prisée des Marseillais et du monde du spectacle. L'Opéra est à deux pas et Rose, tenancière "historique" du lieu, en a vu défiler des personnalités tout en écossant ses petits pois ! Dans les assiettes, de la simple et bonne cuisine italienne, ainsi que quelques spécialités du coin. Réservation conseillée. (📞04 91 33 96 78 ; 25 rue Glandevès, 1er ; 🕙12h-14h et 20h-22h, fermé lun ; Ⓜ Vieux-Port)

### La Casertane  TRAITEUR ITALIEN €€

**20** Plan H8

Ce petit resto avec nappes à carreaux est toujours plein, et pour cause : le choix de pâtes, délicieuses, change tous les jours et l'assortiment d'antipasti n'est pas mal non plus ! À midi seulement. Emplettes possibles dans la partie traiteur. (📞04 91 54 98 51 ; 71 rue Francis-Davso, 1er ; 🕙lun-sam 9h-19h30 ; Ⓜ Vieux-Port)

### Le Café Lulli
SALON DE THÉ  €

21  Plan J8

Une pause idéale après avoir arpenté en tous sens le centre-ville ! Au déjeuner, une cuisine simple de marché à prix raisonnables ou, plus tard, un thé, une pâtisserie, un cocktail de fruits frais, à déguster dans une ambiance cosy. L'agréable terrasse profite du nouvel aménagement de la place Lulli. (📞04 91 54 11 17 ; 26 rue Lulli, 1er ; 🕐mar-sam 9h-18h; M Vieux-Port ou Préfecture)

### L'Aromat'
CUISINE INVENTIVE  €€€

22  Plan G8

On n'est vraiment pas fan de la déco mais la carte créative vaut que l'on s'y arrête. En entrée, le hamburger de bouillabaisse est devenu un classique. La déclinaison de quatre plats change au gré des saisons, mais on retrouve toujours la pêche du jour. (📞04 91 55 09 06 ; 49 rue Sainte, 1er ; 🕐fermé sam midi, dim et lun soir ; M Vieux-port)

### La Table à Deniz
CUISINE PROVENÇALE  €€

23  Plan G8

La souriante Denise œuvre dans un décor pimpant et coloré qui lui ressemble comme deux gouttes d'eau ! La carte, souvent renouvelée, n'est pas en reste. Ainsi du ballotin de lapin farci à la tapenade, de la dorade rôtie au citron et fenouil ou encore du gigotin d'agneau au thym et romarin. On vous conseille aussi le délicieux apéro maison. (📞04 91 54 19 74 ; 63 rue Sainte, 1er ; 🕐midi lun-ven, soir ven-sam et veilles de JF ; M Vieux-Port)

### La Poule Noire
CUISINE DU MARCHÉ  €€

24  Plan G8

Une cuisine à l'image du lieu : sobre, chaleureuse et raffinée. Le soir de notre passage, la tarte fine aux topinambours et son sorbet à la roquette, puis la lotte rôtie, ses makis alsaciens et ses pommes safranées ont fait vibrer nos papilles avec bonheur. (📞04 91 55 68 86 ; 61 rue Sainte, 1er ; 🕐fermé dim ; M Vieux-Port)

### Les Arcenaulx
CADRE HISTORIQUE  €€€

25  Plan G8

Un moment de finesse dans un cadre historique remarquable : les anciennes remises des galères du roi, rien de moins ! L'endroit, qui a gardé tout son cachet, fait également office de salon de thé et de librairie. La cuisine fleure bon le Sud et le service est attentionné, mais un peu guindé. (📞04 91 59 80 30 ; 25 cours d'Estienne-d'Orves, 1er ; 🕐lun-sam ; M Vieux-Port)

### L'Oliveraie
PROVENÇAL  €€

26  Plan G7

Allergiques à l'huile d'olive s'abstenir ! Tous les plats sont en effet préparés à base de cet ingrédient et on ne s'en plaindra pas. Bonne cuisine provençale variée, dans un cadre alliant bois, voûte en pierre et teintes chaleureuses. (📞04 91 33 34 41 ; 10 place aux Huiles, 1er ; 🕐tlj sauf sam midi et dim ; M Vieux-Port)

### Le Livon
GASTRONOMIQUE €€€€

27 ✗ Plan A7

C'est désormais le talentueux
Alexandre Mazzia, du Ventre de
l'Architecte (voir p. 77), qui dirige
les cuisines de cette institution
marseillaise. Malgré des tarifs assez
élevés, vous ne regretterez pas d'avoir
goûté à cette cuisine inventive, délicate
et savoureuse. (📞 04 91 52 22 41 ; 89 bd
Charles-Livon, 7ᵉ ; ⊙ fermé mar-mer ;
Ⓜ Vieux-Port)

# Prendre un verre

### La Caravelle
BAR AVEC VUE

28 🍷 Plan G5

Vue imprenable sur le port et copieux
apéros. Les consos sont plus chères
qu'ailleurs, mais elles sont servies
(18h-21h30) avec de bonnes tapas
qui font pratiquement office de
repas – attention, arrivez assez tôt.
Petit-déjeuner (10 €) servi de 7h à
11h. Le patron, fan de jazz, organise
des concerts en hiver, les mercredis
et vendredis soir. (📞 04 91 90 36 64 ;
34 quai du Port, 2ᵉ ; ⊙ tlj 7h-2h ;
Ⓜ Vieux-Port)

### La Samaritaine
CAFÉ

29 🍷 Plan H5

Une vieille dame mythique qui a
presque 100 ans. Située à l'angle de
la rue de la République et du port,
cette brasserie "à la parisienne" attire,
du petit-déjeuner à l'apéro, touristes

et clientèle assez aisée. L'endroit est
charmant, mais bruyant et un peu
cher. (📞 04 91 90 31 41 ; 2 quai du Port, 1ᵉʳ ;
⊙ tlj 6h-21h ; Ⓜ Vieux-Port)

### L'Endroit
BAR GAY

30 🍷 Plan H6

De belles soirées en perspective
(cocktails, karaoké…), dans ce bar
de nuit cosy et branché, à l'ambiance
bon enfant. (📞 04 91 33 97 25 ; 8 rue
Bailli-de-Suffren, 1ᵉʳ ; ⊙ tlj 18h à l'aube ;
Ⓜ Vieux-Port)

### Le Barberousse
BAR

31 🍷 Plan H7

Planteurs et vieux rhums aux saveurs
originales, à siroter dans un décor
à faire pâlir les plus grands pirates
des Caraïbes ! (📞 04 91 33 78 13 ; 7 rue
Glandevès, 1ᵉʳ ; ⊙ mar-jeu 21h-2h, ven-sam
21h-4h ; Ⓜ Vieux-Port)

### Cafés Debout
TORRÉFACTEUR

32 🍷 Plan H7

Une bonne petite adresse pour
un café sur le pouce (une carte
permet de choisir son cru),
accompagné de délicieux cakes
maison. Quelques tables seulement
en terrasse et à l'intérieur. On peut
aussi bien entendu acheter le café
ou le thé pour emporter. (📞 04 91
33 00 12 ; 46 rue Francis-Davso, 1ᵉʳ ;
⊙ lun 9h30-18h, mar-sam 8h30-19h30 ;
Ⓜ Vieux-Port)

BASILE VAILLANT©

La Part des Anges, à la fois relax et branché, propose une bonne sélection de vins

## L'Unic
BAR

33 🕮 Plan H8

Un troquet haut en couleur et hors du temps. Tenu par Dominique, patronne au tempérament de feu, ce bar voit défiler du matin au soir une faune très éclectique, du papi discret au fêtard excité. La déco est, dans son genre, décalée : couleurs vives, affiches d'Enki Bilal, de Jacques Brel ou de Léo Ferré, et éclairage aux néons. (📞04 91 33 45 84 ; 11 cours Jean-Ballard, 1er ; ⏰tlj 7h30-4h ; Ⓜ Vieux-Port)

## Le Pointu
BAR

34 🕮 Plan H7

Un classique du cours d'Estienne-d'Orves. On se donne rendez-vous sur la grande terrasse pour l'heure de l'apéro. Les pichets de vin ne sont pas d'une qualité exceptionnelle mais la carte de tapas et les pizzas à partager sont bienvenues. Bonne restauration le midi aussi. (📞04 91 55 61 53 ; 18 cours d'Estienne-d'Orves, 1er ; ⏰lun-sam 7h-2h ; Ⓜ Vieux-Port)

## Polikarpov
BAR À VODKAS

35 🕮 Plan H7

Un bar à vodkas où il fait bon se tenir chaud ! Nature ou aromatisée, au verre ou au mètre, le choix est vaste ! Dans une ambiance électro, goûtez aussi aux diaboliques cocktails maison (Place Rouge, Grand Soir ou Black Russian). (📞04 91 52 70 30 ; 24 cours d'Estienne-d'Orves, 1er ; ⏰tlj 8h-2h ; Ⓜ Vieux-Port)

### La Part des Anges

BAR À VINS

36 Plan H8

Côté cave, des centaines de références, à emporter ou à déguster sur place, dans une ambiance un poil branchée. En plus des plats proposés, vous pourrez accompagner votre verre de petites assiettes de charcuterie ou de fromages. Aux murs, les photos ou les peintures changent au gré des expos. (04 91 33 55 70 ; 33 rue Sainte, 1er ; lun-sam 10h-2h, pas de restauration le samedi midi, Vieux-Port)

### Le Bar de la Marine

BAR

37 Plan F7

Un bar aujourd'hui branché, au look design, immortalisé par Marcel Pagnol dans sa célèbre trilogie (c'est en tout cas ce que l'on raconte depuis des décennies !). Un peu frime et touristique à la fois, l'endroit ne désemplit pas, mais la terrasse est assez agréable et spacieuse pour qu'on ne se sente pas les uns sur les autres.

(04 91 54 95 42 ; 15 quai de Rive-Neuve, 1er ; tlj 7h-2h ; Vieux-Port)

# Sortir

### L'Opéra

OPÉRA

Voir 9 Plan J7

Presque totalement détruit par un incendie en 1919, l'édifice a été reconstruit dans un style Art déco et inauguré en 1924 en tant qu'opéra municipal. Son répertoire est essentiellement classique. (04 91 55 11 10 ; 2 rue de Molière, 1er ; Vieux-Port)

### Le Pêle-Mêle

CONCERTS

38 Plan G7

Un club historique, qui a accueilli les plus grands noms du jazz. Impossible ici de perdre une note, tellement la scène est proche du public. La mezzanine permet, elle, une vue d'ensemble sur ce cadre raffiné. L'entrée est gratuite, mais les consommations sont majorées pendant les concerts. (04 91 54 85 26 ;

### 100% marseillais
### Mode phocéenne

Sessùn, Sugar, Kulte, American Vintage, Pain de Sucre, Kaporal, Le Temps des Cerises... Autant de noms marseillais qui ont désormais une résonance nationale. Les deux premières ouvrent une boutique rue Sainte (respectivement au n°6 et n°15), le troisième au 46 rue Davso. Étroit dans ses murs, au 10 rue Sainte, American Vintage y a laissé ses collections homme pour ouvrir, au 31 rue Francis-Davso, un nouvel espace dédié aux femmes. Bref, c'est le coin shopping par excellence. À proximité de l'Opéra, la "rue de la Mode" (rue de la Tour) réunit des boutiques de créateurs, dont Diable Noir et Casablanca.

8 place aux Huiles, 1er ; ☺ mar-sam jusqu'à 2h ; M Vieux-Port)

## La Grande Comédie SPECTACLES

39 ⭐ Plan E7

Ce café-théâtre accueille les humoristes les plus en vue du moment, avec une préférence pour les talents locaux. Titoff, Patrick Bosso ou Mado la Niçoise viennent régulièrement s'y produire. (☎ 04 91 54 95 00 ; 16 quai de Rive-Neuve, 7e ; M Vieux-Port)

## Le Badaboum Théâtre JEUNE PUBLIC

40 ⭐ Plan F7

Création pour jeune public et grands enfants. Un lieu bourdonnant de créativité qui permet de faire découvrir, le plus tôt possible, le théâtre aux enfants. (☎ 04 91 54 40 71 ; www.badaboum-theatre.com ; 16 quai de Rive-Neuve, 7e ; M Vieux-Port)

## Le Trolleybus CLUB

41 ⭐ Plan F7

De l'arsenal des galères – il y a 400 ans – à aujourd'hui, les salles voûtées du Trolley en ont vu défiler ! Pas de sélection élitiste à l'entrée et mélange des genres côté public réussi. Programmation éclectique (pop-rock, lounge-house-électro, soul-funk-R'n'B) pour trois salles où sont passés les plus grands (Jack de Marseille,

De quoi préparer un bel apéro à La Maison du Pastis – à consommer avec modération

Laurent Garnier…). (📞04 91 54 30 45 ; www.letrolley.com ; 24 quai de Rive-Neuve, 7ᵉ ; entrée 10 € sam, gratuit en semaine ⊗jeu-sam 23h-6h, mer-sam en été ; 🅼Vieux-Port)

### Le Théâtre de la Criée
SCÈNE NATIONALE

42 ⭐ Plan E7

Installée dans l'ancienne criée aux poissons, cette scène nationale propose du théâtre classique et contemporain, mais aussi de la danse. Macha Makeïeff en a pris la direction. (📞04 96 17 80 00 ; www.theatre-lacriee.com ; 30 quai de Rive-Neuve, 7ᵉ ; 🅼Vieux-Port)

# Shopping

### La Maison du Pastis
ÉPICERIE FINE ET VINS

43 🅰 Plan F5

Vente et dégustation de 95 pastis et absinthes. Une adresse incontournable pour faire le plein de produits régionaux de qualité. (📞04 91 90 86 77 ; www.lamaisondupastis.com ; 108 quai du Port, 2ᵉ ; ⊗lun-sam 10h-19h, dim 10h-17h, fermé mar ou mer en basse saison ; 🅼Vieux Port)

### Au Savon de Marseille
SAVON

Voir 43 🅰 Plan F5

Le fameux savon décliné sous toutes ses formes ! La boutique est mitoyenne de La Maison du Pastis.

(📞04 91 90 12 73 ; 106 quai du Port, 2ᵉ ; ⊗tlj 10h-19h, jusqu'à 17h le dim ; 🅼Vieux-Port)

### La Licorne
SAVON

44, 45 🅰 Plan F5, F7

Cette savonnerie marseillaise compte désormais deux adresses sur chacune des rives du Vieux-Port. Pour les visites d'atelier, il faudra opter pour celle du cours Julien (p.73). (📞04 91 39 22 09 ; 24 quai de Rive-Neuve, 7ᵉ, 112 quai du Port, 2ᵉ ; ⊗tlj 10h-20h ; 🅼Vieux-Port)

### Marché aux poissons
MARCHÉ

🅰 Plan H6

Le plus emblématique des marchés de la ville, pour son ambiance gouailleuse et bon enfant. Le poisson fraîchement pêché est vendu directement : l'occasion ou jamais de découvrir les espèces de la Méditerranée. (Quai de la Fraternité, 1ᵉʳ ; ⊗tlj ; 🅼Vieux-Port)

### Le Marseillais
MODE

46 🅰 Plan G7

Une gamme de vêtements fabriqués à Marseille, s'inspirant d'authentiques tenues de marins et de dockers. (📞04 91 33 22 10 ; 8 quai Rive-Neuve, 1ᵉʳ ; ⊗lun-sam 10h 13h et 14h-19h, dim 11h-13h et 14h-18h ; 🅼Vieux-Port)

### Marseille en Vacances
MODE

47, 48 🅰 Plan H6, H4

De l'humour marseillais sympa décliné sur des T-shirts et des accessoires, comme des sacs, des badges ou des dessous. (📞04 91 54 73 17 ;

www.marseilleenvacances.com ; 7 rue Bailly-de-Suffren ou 38 rue de la République, 1ᵉʳ ; ⊕lun-sam 10h-19h ; **M**Vieux-Port)

### Marseille in the Box        SOUVENIRS

**49**  Plan H6

Un concept rigolo et original : une jolie boîte en métal et plein de mini-souvenirs à mettre dedans (tarot marseillais, savon, pastis…). (📞04 91 91 32 39 ; www.marseilleinthebox.com ; 13 rue Reine-Elisabeth, 1ᵉʳ ; ⊕mar-sam ; **M**Vieux-Port)

### Chez Michel        BOULANGERIE

**50** 🔒 Plan J7

Une boulangerie où l'on trouve les spécialités locales, tels la fougasse, le gibassier ou la pompe à huile. Venir à partir de 10h pour trouver tous les produits. (📞04 91 33 79 43 ; 33 rue Vacon, 1ᵉʳ ; ⊕lun-sam 7h-20h ; **M**Vieux-Port)

### Le Pain de l'Opéra        BOULANGERIE

**51** 🔒 Plan J7

Cette boulangerie compte parmi les meilleures du centre-ville. Quelques tables dehors pour déguster un sandwich sur le pouce. (📞04 91 33 01 05 ; 61 rue Francis-Davso, 1ᵉʳ ; ⊕lun-sam 6h30-20h ; **M**Vieux-Port)

### La Boutique de l'OM        FOOT

**52, 53** 🔒 Plan K6, K7

Pour avoir la panoplie complète du fervent supporter. (📞04 91 33 20 01 ; 44 la Canebière (⊕10h-19h30) ou 31 rue Saint-Ferréol (⊕ 10h-19h), 1ᵉʳ ; **M**Vieux-Port)

# Sports et activités

### La Bastide des Bains        HAMMAM

**54** 🏊 Plan H8

Bienvenue dans le temple du raffinement ! Quelques touches orientales dans un univers épuré, très bastide provençale, où vous pourrez profiter du magnifique hammam, de gommages, d'enveloppements au rassoul et autres soins. (📞04 91 33 39 13 ; www.bastide-des-bains.com ; 19 rue Sainte, 1ᵉʳ ; hammam 30 €, forfaits 60-130 € ; ⊕oct-avr tlj 10h-20h, jusqu'à 19h le dim, mai-sept lun-sam 10h-20h, se renseigner pour les horaires femmes et mixtes ; **M**Vieux-Port)

### Zein Oriental Spa        HAMMAM

Voir **40** ⭐ Plan F7

Dans un style un peu plus traditionnel, ce lieu élégant, installé dans les anciens arsenaux du roi et plongé dans une lumière tamisée, est une ode à la détente. (📞04 91 33 39 13 ; www.zeinorientalspa.fr ; 16 quai de Rive-Neuve, 1ᵉʳ ; hammam 21 € ; forfaits 43-225 € ; ⊕tlj 11h-21h, se renseigner pour les horaires femmes, hommes et mixtes; **M**Vieux-Port)

### Croisières dans les Calanques        VISITE EN BATEAU

**55** 🏊 Plan E5

Deux prestataires proposent des croisières dans les calanques au départ du Vieux-Port : Icard Maritime (📞04 91 33 03 29 ; www.visite-des-calanques.com) et Croisières Marseille Calanques

(📞 04 91 58 50 58 ; www.croisieres-marseille-calanques.com). Selon le temps de navigation, le prix varie en moyenne de 22 à 28 € pour un adulte. Avec les travaux de semi-piétonisation, leur kiosque se situe actuellement au niveau de l'hôtel de ville, mais devrait à terme être aménagé place du Général-de-Gaulle, en bas de la Canebière.

## Petit Train

VISITE VÉHICULÉE

Voir 55 🚂 Plan E5

Le Vieux-Port est aussi le point de départ du Petit Train (📞 04 91 25 24 69 ; www.petit-train-marseille.com), un moyen agréable de découvrir la ville. Le circuit Notre-Dame-de-la-Garde (tarif plein/réduit 7/4€ ; 🕐 haute/basse saison tlj 10h-12h20 et 13h40-18h20/tlj 10h-12h et 14h-16h) fonctionne à l'année et celui du Panier (6/3€ ; 🕐 tlj 10h-12h30

et 14h-18h) d'avril à mi-novembre. Des circuits "Marseille by night" et "Le Frioul" ont été mis en place du 15 juin au 1er septembre. Comme pour les croisières, le kiosque – actuellement au niveau de l'hôtel de ville – devrait à terme rejoindre le bas de la Canebière.

## Navettes maritimes

BATEAU BUS

56 🚢 Plan H7

Face au succès remporté par la mise en place de la navette maritime entre le Vieux-Port et la Pointe-Rouge (🕐 mars à fin sept, printemps 7h-19h, été 7h-20h), la communauté urbaine a décidé de prolonger l'expérience et d'inaugurer une nouvelle ligne entre le Vieux-Port et l'Estaque (🕐 avr à fin sept). Le coût du trajet pour l'aller simple est de 2,50 €. Départ depuis le quai de la Fraternité.

Explorer

# Le Panier et la Joliette

Toute l'âme de Marseille réunie dans des ruelles étroites et sinueuses, des montées abruptes et de jolies placettes : s'il n'est plus tout à fait le quartier populaire d'autrefois, le Panier n'en garde pas moins des airs de village typiquement méditerranéen. Située en bordure du port autonome, la Joliette est aussi en pleine mutation et tend à devenir un nouveau quartier d'affaires.

# L'essentiel en un jour

On commencera la journée par un café sur la jolie place de Lenche avec vue sur le Vieux-Port, pourquoi pas accompagné d'une douceur des **Navettes des Accoules** (p. 59). Après quoi, on s'enfoncera dans les ruelles du Panier, pour saisir l'atmosphère si particulière du quartier. À inclure absolument dans le parcours : la visite de la **Vieille-Charité** (p. 48)

Une bonne idée, pour le déjeuner, consiste à opter pour le quartier de la Joliette, chez **Spok** (p. 56) ou au **Cafouch aux Saveurs** (p. 56), entre autres. C'est en effet à cette heure-ci que les lieux vous paraîtront le plus vivants. Pour y aller, prenez la direction de la Major, puis gagnez la toute nouvelle promenade du Littoral. Vous apercevez la tour CMA-CGM. Dans l'après-midi, promenez-vous sur les docks et visitez le nouveau bâtiment du **FRAC** (p. 54), de l'architecte japonais Kengo Kuma.

En fin de journée, rejoignez le bas du Panier. Empruntez l'artère commerçante de la République, puis la rue Caisserie. Faites un arrêt aux **Buvards** (p. 55). Le choix des vins naturels y est excellent, de même que les planches de charcuteries et de fromages. Vous pourrez ensuite aller admirer les lumières de la façade de l'**Hôtel-Dieu** (p. 52) et, un peu plus loin, faire un dernier clin d'œil au **clocher des Accoules** (p. 52), particulièrement bien mis en valeur la nuit.

## 👁 Les incontournables

La Vieille-Charité (p. 48)

La Major (p. 53)

Le Frac (p. 54)

## 🔍 100% marseillais

Le Panier (p. 50)

## ❤ Le meilleur du quartier

**Marseille gourmand**

Le Glacier du Roi (p. 56)

Les Navettes des Accoules (p. 59)

Xocoalt (p. 58)

La Chocolaterie du Panier (p. 58)

**Salles de spectacle**

Théâtre de Lenche (p. 58)

Silo (p. 58)

Dock des Suds (p. 58)

## Comment y aller

**Ⓜ Métro** Le Panier est accessible depuis les stations Vieux-Port (ligne 1) et Joliette (ligne 2). La Joliette est aussi desservie par la ligne 2.

**🚊 Tramway** Prendre la ligne 2 et s'arrêter à Sadi-Carnot et République/Dames pour le Panier et à Joliette pour le quartier éponyme.

## Les incontournables
# La Vieille-Charité

Au cœur du Panier se tient avec fierté la Vieille-Charité, incontestablement le site phare du quartier. Cet ancien hôpital, œuvre magnifique de Pierre Puget, qui accueillait les mendiants au XVIIe siècle, est aujourd'hui devenu un centre culturel de renom à la faveur d'une restauration entreprise dans les années 1960. Le Corbusier avait dès l'après-guerre dénoncé l'état d'abandon de l'édifice. Une véritable harmonie se dégage à présent des lieux, où il fait bon s'attarder dans la cour intérieure.

Plan F3

☎ 04 91 14 58 80

www.vieille-charite-marseille.org

2 rue de la Charité, 2e

Collections permanentes tarif plein/réduit 5/3 €, gratuit le dim jusqu'à 13h

⊙ mar-dim 10h-18h

Ⓜ Joliette ou Vieux-Port

# À ne pas manquer

## L'architecture

Dans un quartier très dense, aux ruelles serrées
à l'italienne, la Vieille-Charité surprend d'abord
par son occupation large de l'espace. Une fois
à l'intérieur, notez le rythme, la régularité et
l'équilibre de la composition architecturale : quatre
ailes ouvertes sur une cour intérieure, sur lesquelles
courent trois niveaux de galeries. Au milieu, la
chapelle en forme de rotonde est surmontée
d'une coupole ovoïdale, d'esprit très baroque. Les
bâtiments sont construits en pierre blanche rosée,
conférant à l'ensemble une lumière très agréable.

## Le musée d'Arts africains, océaniens et amérindiens

2ᵉ ÉTAGE

Que vous soyez ou non amateur d'arts premiers,
vous découvrirez avec intérêt les têtes réduites
jivaros, les masques funéraires, les statuettes et
autres objets d'art populaire mexicain. Ouvert en
1992, ce musée bénéficie en effet de donations
privées d'excellence, dont l'éminente collection d'art
africain de Léonce-Pierre Guerre et, plus récemment,
d'un ensemble de parures de plumes des Amérindiens de Guyane, don de Marcel Heckenroth.

## Le musée d'Archéologie méditerranéenne

1ᵉʳ ÉTAGE

Il renferme lui une très belle collection
égyptologique (la deuxième en France après celle
du Louvre !) : stèles funéraires, sarcophages,
amulettes et objets de la vie quotidienne. Deux
autres salles sont consacrées au Proche-Orient,
à Chypre, à la Grèce, à l'Étrurie et à Rome. Quant
aux objets relatifs à la préhistoire dans la région,
ils ont été transférés au musée d'Histoire de
Marseille (p. 31).

BASILE VALLAT

## ☑ À savoir

▸ La Vieille-Charité
accueille des
expositions temporaires
de photographie
ou de peinture.

▸ La Vieille-Charité
abrite également
l'antenne marseillaise
de l'EHESS (École
des hautes études en
sciences sociales) et
le Centre international
de poésie Marseille,
qui organise aussi des
expositions.

## ✕ Une petite faim ?

Au calme dans la cour,
entourée d'oliviers en
pots, la terrasse du
Charité Café (⊙mar-
dim 10h-17h) a un
charme fou et tend
les bras aux visiteurs.
La carte propose une
restauration simple
(sandwichs, quiches,
salades).

## 100% marseillais
# Balade au Panier

Situé derrière l'hôtel de ville et plus vieux quartier de Marseille, le Panier a vu défiler différentes vagues d'immigrés. La quasi-absence de voitures et le linge qui pend aux fenêtres lui donnent des airs méditerranéens. Un grand programme de réhabilitation est en passe de métamorphoser sa physionomie, même s'il résiste encore à ceux qui le rêvent petit Montmartre.

**❶ La montée des Accoules**
La balade commence par le bas du Panier, au pied de la **montée des Accoules**. Gravissez cette ruelle pentue et étroite. Le haut de la montée ménage une belle perspective sur le **clocher des Accoules** (p. 52). Prenez ensuite à droite la rue Baussenque. Marchez jusqu'à la rue des Repenties, tournez à droite, traversez la petite place et empruntez à droite la rue du Refuge. Revenu dans la montée des Accoules,

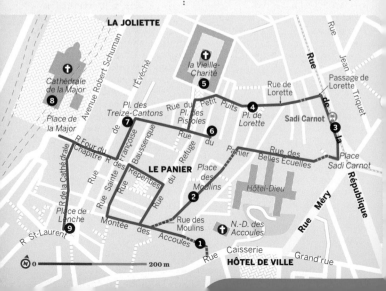

prenez à gauche et suivez la rue des Moulins, qui mène rapidement à la **place des Moulins**, proprette et pleine de charme.

## ❷ Incursion rue de la République

Continuez jusqu'à la rue du Panier, tournez à droite et suivez la rue des Belles-Écuelles jusqu'à l'escalier qui descend vers la **rue de la République**, qui fut percée sous le Second Empire pour relier le Vieux-Port aux quais du nouveau, à la Joliette. Prenez sur votre gauche. Au bout de 100 m, bifurquez à gauche dans le **passage de la Lorette**, sous un porche.

## ❸ Un thé chez Lorette

On replonge dans l'univers labyrinthique du Panier. Ce passage traverse une cour, réplique miniature d'un quartier napolitain. Montez l'escalier, puis suivez la rue de Lorette. Faites un arrêt thé à la menthe **Place Lorette** (☎ 09 81 35 66 75 ; 3 pl. de Lorette, 2ᵉ ; ⏰ mer-dim 11h-19h ; Ⓜ Joliette). Ce salon de thé déco et oriental offre un cocon parfait les jours de mistral. Le jeudi midi, on y vient pour le couscous traditionnel marocain.

## ❹ La boutique Éphémère

Passé la place de Lorette, vous arrivez dans la rue du Petit-Puits. Vous débouchez ensuite sur la **place des Pistoles**, bordée par le magnifique complexe de la **Vieille-Charité** (p. 48). Traversez la place des Pistoles pour rejoindre l'emblématique rue du Panier. Remontez-la sur la gauche jusqu'à la **boutique Éphémère** (☎ 06 09 83 86 51 ; 20 rue du Panier ; ⏰ jeu-lun 11h-19h), un espace tout en longueur que Laure Tinel remplit de ses envies, selon les saisons et les thématiques (mode, design, art), par exemple autour des couleurs noir ou blanc.

## ❺ Place de Lenche

Faites demi-tour et redescendez jusqu'à la place des Treize-Cantons et son fameux **Bar des 13 Coins** (p. 57). Continuez dans la rue Sainte-Françoise, puis descendez à droite dans la rue du Four-du-Chapitre, qui conduit à la **cathédrale de la Major** (p. 53). Remontez la rue du Four-du-Chapitre et prenez à droite dans la rue de la Cathédrale, qui débouche sur la **place de Lenche**. C'est là que se tenait l'agora grecque. Côté Vieux Port, on renoue avec le monde de Fernand Pouillon.

BASILE VAILLANT©

La montée et le clocher des Accoules

# Voir

## Clocher des Accoules

PATRIMOINE

 57 👁 Plan F4

De l'église originelle édifiée au XIᵉ siècle, il ne reste rien. Reconstruite à partir du XIIIᵉ siècle, elle fut détruite pendant la Révolution, et seul le clocher, parce qu'il était doté d'une horloge jugée utile, fut épargné. Il a été inscrit monument historique en 1964. Une autre église, Notre-Dame-des-Accoules, a été rebâtie juste à côté et, à l'emplacement de la nef démolie, se trouve aujourd'hui un calvaire de rocaille. (Place Daviel, 2ᵉ ; Ⓜ Vieux-Port)

## Préau des Accoules

ESPACE ENFANTS

58 👁 Plan E4

Une belle salle néoclassique qui abrite un espace consacré aux enfants, pour les familiariser, à travers de sympathiques expositions temporaires ludo-didactiques, avec l'art et le patrimoine des musées de Marseille. (📞04 91 91 52 06 ; www.marseille.fr ; 29 montée des Accoules, 2ᵉ ; entrée gratuite ; ⊙mer et sam 13h30-17h30, ouvert lors des expos temporaires ; Ⓜ Vieux-Port)

## Hôtel-Dieu

ARCHITECTURE

59 👁 Plan G4

En venant de la rive sud, autrement dit de la mairie centrale, impossible de rater les élégantes arcades de ce bâtiment. Aménagé au XVIIIᵉ siècle sur le site d'anciens hôpitaux remontant au Moyen Âge, il fut

### 100% marseillais
**Lionel Lévy à l'Hôtel-Dieu**

Le chef marseillais étoilé d'Une Table au Sud, sur le Vieux-Port, prend les rênes des cuisines de l'Hôtel-Dieu, d'où partiront les plats pour le restaurant gastronomique et la brasserie : il s'est mis au défi de faire gagner une étoile à ce nouveau restaurant. L'aventure culinaire promet d'être belle, d'autant que la proximité du chef Gérald Passédat, au MuCEM (p. 26), devrait créer une émulation certaine.

remanié sous le Second Empire.
Comme pour la Vieille-Charité,
les trois étages d'arcades sont
caractéristiques de l'architecture
hospitalière D'importants travaux,
en vue de l'ouverture prochaine, ont
redonné à la façade (superbement
éclairée de nuit) tout son lustre.
(6 place Daviel,2ᵉ ; Ⓜ Vieux-Port)

### Hôtel de Cabre   DEMEURE HISTORIQUE

60 ⊙ Plan G5

C'est la plus ancienne demeure de
Marseille (1535), au style gothique
et Renaissance, située à l'angle de la
Grand-Rue et de la rue Bonneterie. Lors
de la reconstruction du quartier, en
1954, elle fut purement et simplement
tournée de 90° pour être dans
l'alignement des nouveaux bâtiments.
Eh non, il ne s'agit pas d'une histoire
marseillaise : pour preuve, observez les
noms inversés des rues (rue Bonneterie
et Grand-Rue) placés l'un au dessus de
l'autre sur la façade !

### Cathédrale
### de la Major   STYLE ROMANO-BYZANTIN

61 ⊙ Plan E3

À deux pas du Panier veille la
cathédrale Sainte-Marie-Majeure,
appelée communément cathédrale de
la Major, ou parfois Nouvelle Major.
Unique en son genre en France, elle
évoque l'Orient avec son style romano-
byzantin. Elle est en fait bâtie sur un
site religieux très ancien, qui remonte
au moins au Vᵉ siècle. Au milieu du
XIXᵉ siècle, Marseille décida de se doter

✅ À savoir

### Rendez-vous
### incontournables

Si vous êtes dans le coin, ne ratez
pas la fête du quartier, en juin, et
la procession de l'Assomption, très
suivie par la communauté italienne.

d'une cathédrale digne de ses ambitions
retrouvées. Les travaux s'éternisèrent
de 1852 à 1893, constituant ainsi le plus
gros chantier religieux du siècle. Par
tradition, les Marseillais sont beaucoup
plus attachés à Notre-Dame-de-la-
Garde. (Place de la Major, 2ᵉ ; ⊙ été 10h-19h,
hiver 10h-18h ; Ⓜ Juliette ou bus nᵒˢ 57 et 61)

### Les docks et le port autonome
PROMENADE URBAINE

⊙ Plan E1

Ces immenses entrepôts portuaires,
datant de 1861 et remis au goût du
jour avec leurs 400 m de façade, sont
la pièce maîtresse du bouleversement
urbain actuel. Avec ses bâtiments
industriels réhabilités et ses
infrastructures contemporaines, cet
important pôle tertiaire, relié au
centre-ville par une nouvelle ligne
de tram, peut désormais s'inscrire
comme un paysage urbain digne
d'une exploration touristique. La
gare maritime se dresse face aux
docks. C'est de là qu'appareillent les
ferries pour la Corse et le Maghreb.
À l'occasion de Marseille Provence
2013, le hangar J1 a été rénové pour
accueillir de grandes expositions,

illustrant une ouverture du port vers la ville. L'enfouissement d'un viaduc autoroutier a entamé le mouvement, dégageant un nouvel espace public et une perspective vers le front de mer. Baptisé le boulevard du Littoral, il relie au nord la tour CMA-CGM, du nom de la première compagnie française de porte-conteneurs – signée de l'architecte Zaha Hadid, elle est la plus haute tour (145 m) de Marseille – et au sud le Vieux-Port. (Place de la Joliette 2ᵉ ; Ⓜ Joliette)

### Fonds régional d'art contemporain

ART CONTEMPORAIN

◉ Hors plan

Le FRAC Provence-Alpes-Côte d'Azur occupe aujourd'hui ce nouvel écrin à la Joliette. Le geste architectural du Japonais Kengo Kuma est tel que le bâtiment vaut le détour en lui-même. Il joue la transparence avec une paroi de verre pixellisée et son concept de rue ouverte en volumes. Plusieurs espaces d'exposition, de diffusion et de création sont répartis sur ce vaste module de 5400 m², qui devrait aussi compter une librairie et un restaurant. De quoi assurer un roulement à la collection, qui rassemble près de 900 œuvres. (☎ 04 91 91 27 55 ; www.fracpaca.org ; 20 boulevard de Dunkerque, 2ᵉ ; tarif plein/réduit ; 5/2,50 €, événement spécifique 4/2 € ; ⊘ mer 10h-12h et 14h-18h, jeu-sam 10h-18h, dim 14h-18h, le troisième jeudi du mois 14h-21h ; Ⓜ Joliette)

# Se restaurer

## L'Effet Clochette

EN TERRASSE €

62 ✖ Plan F4

Une cuisine simple dans une ambiance dé-con-trac-tée ! Les salades associent par exemple feuilles de

---

Q 100% marseillais
### La folie Plus belle la vie

À l'office du tourisme de Marseille, on ne compte plus les visiteurs cherchant le **quartier du Mistral**, qui sert de décor à leur série préférée, réunissant chaque soir depuis 2004 plus de 5 millions de téléspectateurs... Et justement, ce n'est qu'un décor, inspiré du vieux **quartier du Panier**, où vous pourrez toujours vous promener. La série est tournée en intérieur (sauf quelques scènes), au sein des studios de la Belle-de-Mai (voir p. 91), interdits au public. Pour vous consoler, la **boutique Plus Belle la Vie** (☎ 09 51 85 54 29 ; http://boutiqueplusbellelavie.com ; 55 rue Sainte- Françoise, 2ᵉ ; ⊘ lun-sam 11h-18h30 ; Ⓜ Joliette), installée, comme il se doit, au Panier, vend tous les produits dérivés possibles. En face, le **Bar des 13 Coins** (p. 57) a quant à lui inspiré le célèbre bar de Roland, et a repris quelques éléments du décor télé lors de récents travaux. La boucle est bouclée.

## Comprendre
### Euroméditerranée : une ville en mutation

Après des années de travaux, dans lesquels l'État, l'Europe, la communauté urbaine, la Région et le département auront investi plus de 600 millions d'euros et les partenaires privés 2,9 milliards, les réalisations d'Euroméditerranée commencent à prendre forme : anciens docks industriels réhabilités en bureaux, place de la Joliette, FRAC, boulevard du Littoral, Silo, tour CMA-CGM, nouvelles lignes de tramway, esplanade du J4, rue de la République... pour ne citer que les exemples les plus emblématiques.

Ce vaste programme de rénovation urbaine a été engagé en 1995 et élargi en 2007 à un nouveau périmètre vers le nord. Il concerne désormais 480 ha, ce qui en fait l'un des plus importants en Europe. Sur le papier, le projet est idyllique mais dans la réalité, tout est beaucoup moins simple. Certains immeubles de Belsunce ou du Panier tombent en ruine, il manque des logements, le réseau de transports est à revoir, il est donc certain que Marseille a besoin d'être réhabilité en profondeur. Mais beaucoup craignent que cette mutation indispensable ne fasse perdre son âme à la cité phocéenne.

vigne, taboulé ou concombres à la menthe. Pas d'intérieur mais une agréable terrasse qui permet de lézarder sous un parasol, au pied de la montée des Accoules. (📞06 20 93 00 24 ; 2 place des Augustines, 2ᵉ ; ⏱tlj 12h-17h, plus soir mai-sept ; Ⓜ Vieux-Port)

### La Vieille Pelle
PIZZERIA €€

63  Plan E5

De savoureuses pizzas cuites au feu de bois juste devant vous ! Dans un décor de vieille auberge toute simple, goûtez également aux autres spécialités (aubergines au parmesan, pâtes fraîches...). Accueil chaleureux ; *limoncello* maison. (📞04 91 90 62 00 ; 39 av. Saint-Jean, 2ᵉ ; ⏱fermé dim-lun ; Ⓜ Vieux-Port)

### Les Buvards
BAR À VINS €€

64  Plan G4

Un bar à vins naturels intimiste et chaleureux où les petits vignerons de qualité ont la part belle. Quelques plats du jour pour accompagner son verre, et de délicieuses planches de charcuterie et fromages affinés. Et pour les petites faims à l'heure de l'apéro, des entrées/tapas. (📞04 91 90 09 98 ; 34 Grand-Rue, 2ᵉ ; ⏱tlj sf dim ; Ⓜ Vieux-Port)

### Bobolivo
BISTROT €€

65  Plan E5

Une ardoise sans grande surprise (burger, escalope milanaise, lasagne, dorade, souris d'agneau, viandes grillées au feu de bois) mais une qualité au rendez-vous et un cadre (banquettes rouges, tables bistrot) très bien pour un déjeuner entre amis. Pour le dîner, si la météo le permet, on préférera la terrasse. (📞04 91 31 38 21 ; 29 rue Caisserie, 2ᵉ ; 🕐mar-sam midi et soir ; Ⓜ Vieux-Port)

### L'Escapade Marseillaise
CUISINE DU SUD €€€

66  Plan E5

Ne vous laissez pas détourner par l'extérieur très discret, cette table est tenue par un jeune chef, passé notamment chez Lionel Lévy, qui travaille bien les produits. (📞04 91 31 61 69 ; 48 rue Caisserie, 2ᵉ ; 🕐midi lun-sam, soir jeu-sam ; Ⓜ Vieux-Port)

### Tako-San
JAPONAIS TRADITIONNEL €

67  Plan F3

Cette enclave japonaise du Panier nous ravit. Vous ne trouverez pas ici de yakitoris et autres sushis, mais de vraies spécialités japonaises (en particulier les takoyakis) à emporter ou à déguster dans la petite salle dedans. Bentos tous les midis sauf le dimanche, et certains week-ends les ramens sont à la carte ! (📞06 17 62 00 19 ; 36 rue du Petit-Puits, 2ᵉ ; 🕐mar-sam 11h-14h30, dim jusqu'à 16h, sur réservation ven et sam soir ; Ⓜ Joliette)

### Spok
SNACK GOURMAND €

 Hors plan

La petite chaîne marseillaise qui monte. Le concept ? Des produits frais, des wraps, salades et autres sandwichs créatifs, un plat du jour...

Le tout présenté dans des emballages recyclés. Esprit bio quand tu nous tiens. (📞04 91 91 57 29 ; 48 Rue Mazenod, 2ᵉ ; 🕐tlj 8h-19h ; Ⓜ Joliette)

### Le Cafouch aux Saveurs
CUISINE DU MARCHÉ €€

68  Plan E1

Des produits de saison, des épices et des aromates et de bons petits plats maison (kefta de poissons, daube, tartare à la thaï, etc.), tel est le mot d'ordre de cet attachant Cafouch, où l'on déjeune dans une belle ambiance. À la carte, une formule équilibre pour ceux qui font attention à leur ligne. (📞04 91 31 67 14 ; 20 rue Mazenod, 2ᵉ ; 🕐lun-ven midi ; Ⓜ Joliette)

# Prendre un verre

### Cup of Tea
SALON DE THÉ

69  Plan F5

Pour l'été, une grande terrasse située à deux pas de la montée des Accoules. Pour l'hiver, un intérieur cosy où l'on peut feuilleter un beau livre et goûter en même temps à une quarantaine de thés. En prime : programmations régulières d'ateliers d'écriture ou de lectures de poésie. (📞04 91 90 84 02 ; 1 rue Caisserie, 2ᵉ ; 🕐lun-ven 8h30-19h, sam 9h30-19h ; Ⓜ Vieux-Port)

### Le Glacier du Roi
GLACIER ARTISANAL

70  Plan E4

De savoureuses glaces artisanales (celle aux navettes est un délice !),

Si la lecture est votre tasse de thé, rendez-vous au Cup of Tea

à déguster sur la terrasse, place de Lenche. À la carte, des parfums créés chaque année, et des classiques tels que le chocolat à 70%. Verrines glacées et pâtisseries régalent aussi les papilles. Et la propriétaire a pour projet d'inaugurer une formule apéro verre de vin et jambon italien, pour renouer avec les racines du quartier. (☎ 04 91 91 01 16 , 4 place de Lenche, 2ᵉ ; ☺ fermé lun sf JF, été 8h30-19h, jusqu'à 1h jeu-sam, hiver 8h30-19h ; Ⓜ Vieux-Port)

## Bar des 13 Coins   BAR DE QUARTIER

71 🍷 Plan E3

Le bar typique du Panier. À sa clientèle de quartier et de touristes s'ajoutent maintenant les fans de la série *Plus belle la vie* (voir l'encadré p. 54). Sur la place ombragée, mais dans un autre style, plane le fantôme de l'écrivain Jean-Claude Izzo. Le jeudi en saison, des concerts sont organisés de 19h à 22h30. Petite restauration le midi (salades, bruschettas, quiches,

☑ Bon plan

### Un délicieux café sur le pouce

Vous êtes amateur de vrais cafés, de ceux fraîchement torréfiés et aux arômes subtils ? Quitte à délaisser le cadre des jolies places du Panier ? Direction ce minuscule torréfacteur artisanal de la rue Caisserie, **Arômes** (☎ 06 63 20 78 50 ; 23 rue Caisserie ; ☺ tlj sf dim ; Ⓜ Vieux-Port), qui a eu la belle idée d'installer des tabourets et tables dehors. Idéal pour un café sur le pouce (on choisit son cru), accompagné si l'on veut de petites viennoiseries ou douceurs.

marinade de poissons…) ) (☎04 91 91 56 49 ; 45 rue Sainte-Françoise, 2ᵉ ; ☺tlj à partir de 8h30 ; Ⓜ Joliette)

### Place Lorette
SALON DE THÉ

72 ☕ Plan G3

Un salon de thé déco et oriental qui offre un cocon parfait les jours de mistral (les adresses en la matière ne sont pas légion à Marseille). Le jeudi midi, on y vient pour le couscous traditionnel marocain. (☎09 81 35 66 75 ; 3 pl. de Lorette, 2ᵉ ; ☺mer-dim 11h-19h ; Ⓜ Joliette)

## Sortir

### Le Taxi-Brousse
CLUB

73 ⭐ Plan F2

Pour les amoureux de zouk, de salsa, de biguine ou de soukouss. Dans une ambiance bon enfant, c'est le moment de se lancer dans un torride collé-serré ! Le Taxi organise régulièrement des soirées à thème et permet de se restaurer… avant d'aller danser sur des rythmes endiablés ! (☎04 91 56 26 57 ; www.taxibrouss.fr ; 21 rue de l'Observance, 2ᵉ ; ☺jeu-sam jusqu'à 5h ; Ⓜ Joliette)

### Théâtre de Lenche
THÉÂTRE

74 ⭐ Plan E4

Ouvert aux compagnies régionales, ce petit théâtre affiche un répertoire contemporain populaire. (☎04 91 91 52 22 ; 4 place de Lenche, 2ᵉ ; Ⓜ Joliette ou Vieux-Port)

### Silo
SALLE DE SPECTACLE

⭐ Hors plan

Construit sur pilotis sur une emprise du grand port maritime – l'ancien silo à blé d'Arenc – cette nouvelle salle de spectacle peut aussi bien accueillir des concerts que de la danse, de l'opéra ou des shows humoristiques. (☎04 91 90 00 00 ; 35 quai du Lazaret, 2ᵉ ; Ⓜ Joliette, tramway T2 arrêt Arenc Silo)

### Le Dock des Suds
SALLE DE SPECTACLE

⭐ Hors plan

Cet ancien bâtiment portuaire est le haut lieu de la Fiesta des Suds et de Babel Med Music. (☎04 91 99 00 ; 12 rue Urbain V, 2ᵉ ; Ⓜ National, tramway T2 arrêt Arenc Silo)

## Shopping

### La Chocolatière du Panier
CHOCOLAT

75 🔒 Plan F3

Plus de 180 recettes traditionnelles de chocolats à savourer, dont le lingot marseillais. (☎04 84 26 27 11 ; 47 rue du Petit-Puits, 2ᵉ ; ☺mar-sam 10h-13h et 15h-19h ; Ⓜ Joliette)

### Xocoalt
CHOCOLAT

76 🔒 Plan G5

Moins typique mais plus raffiné que l'adresse précédente, ce chocolatier crée de délicieux carrés marseillais aux multiples saveurs, qui parfois varient selon les saisons (romarin, safran, pastis, fleur d'oranger, figue...). Guimauves et caramels sont aussi de la partie. (☎04 91 90 22 91 ; 28 Grand-Rue, 2ᵉ ; ☯lun-sam 10h-19h ; Ⓜ Vieux-Port)

## Le Comptoir du Panier
BOUTIQUE DE CRÉATEURS

Voir **62** ✖ Plan F4

Au pied de la montée des Accoules, cette boutique vend des T-shirts originaux, mais pas seulement. En y entrant, vous découvrirez des vêtements et bijoux de créateurs locaux, dont Tcheka. (☎09 53 65 21 52 ; 1 montée des Accoules, 2ᵉ ; ☯lun-sam 10h-19h ; Ⓜ Vieux-Port)

## Un Seul Monde à Marseille
ARTISANAT

**77** 🅰 Plan F5

Le temple de l'artisanat éthique et du commerce équitable, juste au-dessus du Vieux-Port. (☎04 91 91 83 06 ; 32 rue Caisserie, 2ᵉ ; ☯mar-sam 10h30-19h ; Ⓜ Vieux-Port)

## Les Navettes des Accoules
BISCUITS TRADITIONNELS

**78** 🅰 Plan E5

Même si elles sont bénies pendant la Chandeleur, fuyez les navettes du Four, à la réputation surfaite, pour croquer celles de cette biscuiterie de qualité. (☎04 91 90 99 42 ; 68 rue Caisserie ; 2ᵉ ; ☯lun-sam 9h30-19h ; Ⓜ Vieux-Port)

BASILE VAILLANT©

Les fameuses navettes des Accoules

## Arterra-Créateur Santonnier
ARTISANAT

**79** 🅰 Plan F3

Un atelier-exposition de santons d'art de toutes tailles qui vous permettra de commencer une crèche originale. (☎04 91 91 03 31 ; www.santons-arterra.com ; 15 rue du Petit-Puits, 2ᵉ ; ☯lun-sam 9h-13h et 14h-18h ; Ⓜ Joliette)

## Étoile Errante
ARTISANAT

**80** 🅰 Plan F3

Un vent de folie a traversé cet atelier de céramiste où une artiste donne vie à des assiettes, théières, vases ou miroirs originaux. (☎06 26 84 16 60 ; 20 place des Pistoles, 2ᵉ ; Ⓜ Joliette)

## Marine Savonnerie
SAVON

Voir **79** 🅰 Plan F3

L'art de décliner les savons sous les formes les plus inattendues. (☎04 91 91 14 57 ; 2 rue du Petit-Puits, 2ᵉ ; ☯tlj 10h-18h ; Ⓜ Joliette)

Explorer

# Noailles, la Plaine et le Cours Julien

Noailles, c'est le quartier populaire par excellence, où l'on vient faire son marché, goûter à de délicieux gâteaux orientaux et dénicher de bonnes affaires dans les bazars. L'extrémité de la rue d'Aubagne débouche, sur ses hauteurs, dans un tout autre univers : le cours Julien, voisin de la Plaine et de Notre-Dame-du-Mont. Ce quartier est idéal pour siroter un verre en terrasse, dévaliser les boutiques de créateurs et sortir le soir.

# L'essentiel en un jour

☀ Consacrez la matinée à la découverte du quartier Noailles, de ses rues animées et de son **marché des Capucins** (p. 63). Allez faire un tour chez **Empereur** (p. 63), bien plus qu'une simple quincaillerie, et à l'**Herboristerie du Père Blaize** (p. 63). Côté tables, vous n'avez que l'embarras du choix. Le **Fémina** (p. 63) satisfera pleinement les envies de couscous. Plus léger ? Prenez une pizza à emporter **Chez Sauveur** (p. 66).

☀ Optez pour un moment de détente soit au **hammam Rafik** (p. 73), soit installé à l'une des nombreuses terrasses de café du cour "Ju", notamment celle du **Oogie** (p. 65) et ses transats de couleur. En piste ensuite pour une séance shopping dans l'une des **boutiques de créateurs** (voir p. 72) du quartier. Après tant d'efforts, faites une pause glacée à l'**Éléphant Rose à Pois Blancs** (p. 68).

☾ Les soirs de match, pas d'hésitation, l'apéro se fera au **bar de la Plaine** (p. 65) ou au **bar du Marché** (p. 65). D'humeur tapas ? Optez pour **La Tasca** (p. 70) ou **Dos Hermanas** (p. 69). Après un dîner aux **Pieds dans le Plat** (méditerranéen, p. 67), à **La Cantinetta** (italien, p. 67) ou aux **Gamins** (hamburgers, p. 67), terminez la soirée au **Poste à Galène** (p. 71) ou dans l'une ou l'autre des innombrables salles de concerts du coin.

## 👁 Les incontournables

Quartier Noailles (p.62)

## Q 100% marseillais

La tournée des bars (p.64)

## ♥ Le meilleur du quartier

**Emplettes alimentaires**

Le marché des Capucins (p.63)

Le marché bio du Cours Julien (p.66)

Le marché de la Plaine (p.66)

## Comment y aller

Ⓜ **Métro** Ligne 2, arrêts Notre-Dame-du-Mont-Cours-Julien et Noailles.

🚊 **Tramway** Lignes 1 et 2 , arrêt Noailles.

## Les incontournables
## Quartier Noailles

Vous n'aurez pas vraiment vu ni compris Marseille si vous ne passez pas dans le quartier Noailles. Couleurs, parfums, senteurs et bruits de toutes sortes guideront vos pas parmi la foule, qui fait partie du paysage ! Ici encore mieux qu'ailleurs, on peut mesurer la diversité du centre-ville. Loin d'être uniquement pittoresque, c'est un quartier populaire où bat l'âme du vrai Marseille. Reste que la population y est souvent délaissée. Le plan de restauration immobilière, qui devait redonner du lustre au quartier, tout du moins à ses façades, n'a pas eu les effets escomptés.

⊙ Plan L6

Ⓜ Ligne 2, arrêt Noailles

🚌 Lignes 1 et 2, arrêt Noailles

Étal du marché de Noailles

# À ne pas manquer

### Marché des Capucins

À deux pas du métro et de la Canebière, ce bouillonnant **marché** (⊙lun-sam 8h-19h) est un passage obligé pour qui veut faire de bonnes affaires en fruits et légumes. La rue Longue-des-Capucins a, elle, des allures de souk, avec ses vendeurs d'épices, de viande, de coriandre et de menthe fraîches. Pour les fruits exotiques, vous vous rendrez place des Halles-Delacroix, chez l'incontournable Tamky.

### La rue de l'Académie

Il n'y a pas meilleur endroit pour changer de tête, en tentant les tresses africaines ou les extensions chez un coiffeur africain. Vous trouverez aussi ici de magnifiques tissus, du fameux wax à l'élégant bazin. Quant aux férus de culture indienne, les derniers films de Bollywood, avec saris et bijoux éclatants, n'attendent qu'eux !

### Maison Empereur

Depuis 1827, la **maison Empereur** (☏04 91 54 02 29 ; www.empereur.tr ; 3 rue d'Aubagne, 1ᵉʳ ; ⊙lun-sam 9h-19h), temple de la quincaillerie (la plus vieille de France !), vous conseille toujours très aimablement en matière de bricolage ou d'art de la table. Tout un univers qui vous décrochera forcément un sourire à la vue d'objets un peu anciens, toujours vendus ici. L'espace s'est récemment agrandi de 300 m².

### Herboristerie du Père Blaize

Le **Père Blaize** (☏04 91 54 04 01 ; 4 rue Méolan, 1ᵉʳ ; ⊙mar-sam 9h30-12h30 et 14h30-18h30, fermé en août), aujourd'hui remplacé par son arrière-petite-fille, a commencé à soigner les maux des Marseillais en 1815 ! On y vient pour les conseils avisés sur les plantes, les tisanes, les huiles essentielles...

## ☑ À savoir

▶ Au 27 rue d'Aubagne, ne ratez pas Arax, le temple des spécialités orientales et exotiques.

▶ Rue de l'Arc, des habitants ont pris l'initiative de la première "ruelle verte" de Marseille. Résultat : des pots de fleurs qui redonnent un peu de couleur aux pieds des immeubles.

▶ À la lisière de Noailles, la rue de Rome réunit une foule de petits commerces, de chaussures entre autres. L'artère est en pleine transformation avec les travaux d'une nouvelle ligne de tramway.

## ✕ Une petite faim ?

Au restaurant Fémina (☏04 91 54 03 56 ; 1 rue du Musée, 1ᵉʳ ; fermé dim soir, lun et août), on choisit entre la semoule de blé classique ou la semoule d'orge : le couscous est savoureux, les proportions généreuses et le service adorable.

# 100% marseillais
## La tournée des bars

Cours "Ju", Plaine, Notre-Dame-du-Mont : ces trois sphères sont comme imbriquées les unes aux autres. Le quartier oscille entre populaire, étudiant, bobo et baba cool. Bien ambitieux celui qui chercherait à définir une ligne de partage, tant il n'y en a pas de visible. Les bars sont une bonne entrée pour s'immerger dans ces différentes ambiances. En voici une sélection, moins pour les enchaîner – mais libre à vous ! – que pour les inscrire dans vos parcours.

❶ **Café solidaire**
Rencontre avec la tribu alternative et solidaire dans cet **Équitable Café** (☎04 91 47 34 48 ; 54 Cours Julien, 6ᵉ ; ⏱lun 18h-22h, mar-jeu 15h-23h, ven 15h-minuit, sam 15h-1h ; Ⓜ Notre-Dame-du-Mont), qui fonctionne sur un mode associatif et organise de nombreuses rencontres. Le lieu est très agréable avec, au fond de la salle, un espace enfant et quelques canapés où s'enfoncer. Côté bar, des bières

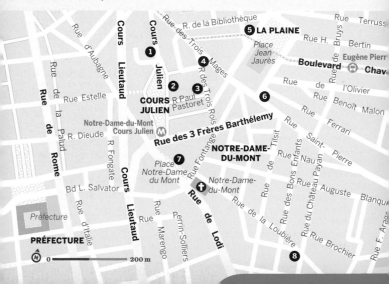

artisanales, sirops naturels et autres vins bio.

### ❷ Concept store

Atmosphère plus branchée sur la terrasse du **Oogie !** (☎ 04 91 53 10 70 ; 55 Cours Julien, 6ᵉ ; ⊙lun-sam 9h-19h, jusqu'à 20h en été et 1h le jeudi ; Ⓜ Notre-Dame-du-Mont), premier *lifestore* marseillais, entendez par là un concept très mode et multiservice : vêtements, musique, resto, salon de coiffure… Le jeudi, c'est "soirée Oogie" avec DJ et événement souvent associé.

### ❸ Arty et culturel

**"Waaw"** (☎ 04 91 42 16 33 ; www.waaw. fr ; 17 rue Pastoret, 6ᵉ ; ⊙mar-sam 12h-23h, dim 12h-18h ; Ⓜ Notre-Dame-du-Mont), c'est pour "What an amazing world". Ce bistrot entend être, sinon un animateur culturel, à tout le moins un amplificateur, un média (via notamment son site Internet). L'équipe s'insurge ainsi contre l'idée qu'il n'y a rien à faire à Marseille. Cette énergie se ressent sur place, dans un cadre joliment arty.

### ❹ Bar de quartier

Le **Petit Pernod** (☎ 04 91 02 49 65 ; 30 rue des Trois-Rois 6ᵉ ; ⊙tlj 7h-2h ; Ⓜ Notre-Dame-du-Mont), bar en angle, est un classique de la Plaine. Les fins connaisseurs vont acheter des panisses en face, chez Gilda, pour temporiser un peu l'alcool, et parce que c'est savoureux.

### ❺ L'institution

Le **Petit Nice** (28 place Jean-Jaurès, 6ᵉ ; ⊙mer-sam ; Ⓜ Notre-Dame-du-Mont ou Réformés) offre une grande terrasse et un service avenant. Les gens du quartier sont d'ailleurs secrètement amoureux des serveuses, souriantes et efficaces, mais se gardent bien de le montrer : le patron est un ancien champion de boxe ! Les jours de marché, on vient s'y poser tranquillement et, le soir, boire un coup entre amis.

### ❻ Le lieu cosmopolite

La Plaine sans frontières : c'est la devise de ce bar d'habitués venus de tous horizons. Au **Bar de la Plaine** (☎ 04 91 47 50 18 ; 57 place Jean-Jaurès, 6ᵉ ; ⊙tlj ; Ⓜ Notre-Dame-du-Mont), il règne une ambiance survoltée les soirs de matchs – diffusés sur grand écran. La salle est étroite, et on boit volontiers son pastis dans la rue.

### ❼ Pour les amateurs de bière

Les amateurs de bières trouveront leur bonheur au **Bar du Marché** (☎ 04 91 92 58 89 ; 15 place Notre-Dame-du-Mont, 6ᵉ ; ⊙tlj 7h-2h ; Ⓜ Notre-Dame-du-Mont). La grande terrasse est occupée du matin au soir, surtout les jours de matchs. Le patron ne dit rien quand on déguste à table une pizza achetée au camion de la place.

### ❽ Le plus branché

Le **Mama Shelter** (☎ 04 84 35 20 00 ; 64 rue de la Loubière, 6ᵉ ; ⊙dim-mer 17h-00h30, jeu-sam 17h-1h, bar de la terrasse 17h-22h ; Ⓜ Baille) est peu à l'écart du quartier mais parfait pour qui souhaite une touche de branchitude. On ne cache pas qu'on n'adore pas la restauration, en revanche le bar s'avère une bonne escale. Qui plus est équipée de Wi-Fi.

# Voir

### Le Cours Julien
QUARTIER

◎ Plan M8

Avec ses bassins rénovés, ses cafés, ses nombreux restos, ses boutiques de déco et de fringues dernier cri, le lieu devrait combler plus d'une *fashion victim* ou les simples amoureux de farniente. Le mercredi matin, ne manquez pas le marché paysan, où vous pourrez faire le plein de produits bio, à condition d'arriver tôt. Le 3ᵉ dimanche de chaque mois, brocanteurs et antiquaires professionnels dévoilent leurs dernières trouvailles, proposées à tous les prix.

### La Plaine
PLACE

◎ Plan N7

Outre son marché (alimentaire et vestimentaire) qui se tient les mardis, jeudis et samedis matin, la grande place Jean-Jaurès (puisque c'est là son véritable nom) abrite aussi de sympathiques bars, en connexion directe avec la place Notre-Dame-du-Mont et le Cours Julien.

# Se restaurer

### Ivoire restaurant
CUISINE AFRICAINE €

81 ✖ Plan L7

La reine ici, c'est Mama Africa ! Toujours souriante, elle mitonne de délicieux et copieux mafés ou yassas dans son petit resto tout simple, assidûment fréquenté par la communauté africaine du quartier. (☎ 04 91 33 75 33 ; 57 rue d'Aubagne, 1ᵉʳ ; ◷ tlj midi et soir ; Ⓜ Noailles)

### Chez Sauveur
PIZZERIA €€

82 ✖ Plan K6

D'accord, la rue et l'entrée ne paient pas de mine mais vous ne regretterez pas de vous être attablé chez Sauveur. Ses délicieuses pizzas cuites au feu de bois régalent les Marseillais depuis 1943 ! (☎ 04 91 54 33 96 ; 10 rue d'Aubagne, 1ᵉʳ ; ◷ fermé dim-lun ; Ⓜ Noailles)

### Matiti
AFRO-VÉGÉTARIEN €

83 ✖ Plan L6

Une cuisine africaine végétarienne, mitonnée de main de maître par Stowell. Ici, pas de chichis : le choix se fait chaque jour entre deux plats, arrosés par une bière ou un délicieux ti-punch maison. Régulièrement, des expos, concerts et cours de cuisine. (☎ 04 91 94 00 17 ; 10 cours Julien, 6ᵉ ; ◷ mer-sam midi et soir ; Ⓜ Noailles)

### La Passerelle
BAR À VINS €€

84 ✖ Plan M7

Plus de BD à La Passerelle, qui ont longtemps fait sa marque de fabrique, mais toujours une ambiance chaleureuse et de bons petits plats du jour et une belle carte de vins naturels. (☎ 04 91 48 77 24 ; 26 rue des Trois-Mages, 6ᵉ ; ◷ lun-sam midi et soir ; Ⓜ Notre-Dame-du-Mont)

BASILE VAILLANT©

Les Pieds dans le Plat, toute la cuisine provençale dans une ambiance conviviale

### La Cantinetta ITALIEN €€€

85 Plan M7

Une table italienne chaleureuse et élégante, un brin tendance, qui revisite avec brio les standards de la Botte, accompagnés d'une belle sélection de vins de là-bas. L'été, le jardin est un bonheur. Réservation très conseillée. (04 91 48 10 48 ; 24 cours Julien, 6ᵉ ; lun-sam midi et soir ; Notre-Dame-du-Mont ou Noailles)

### Les Gamins HAMBURGERS €€

86 Plan M7

Le bouche-à-oreille a vite fonctionné tant les hamburgers faits maison (même le pain) sont savoureux Ajoutez à cela un cadre joliment rétro, une ambiance bistrot et des desserts également délicieux, vous obtenez une adresse qui manquait à Marseille.

Réservation conseillée. DJ le mercredi et brunch le dimanche. (04 91 42 49 03 ; 11 cours Julien, 6ᵉ ; fermé dim soir-lun ; Notre-Dame-du-Mont)

### Les Pieds dans le Plat CUISINE DU MARCHÉ €€€

87 Plan M8

Une équipe tout sourire tient ce bistrot aux belles influences méditerranéennes, où l'on se sent bien autant dans la salle que dans le patio. La carte tourne au gré des saisons avec trois-quatre propositions inventives d'entrées et de plats, souvent autour du poisson. Les spécialités sont le méchoui d'épaule d'agneau (pour deux) et le ris de chevreau. Et pour couronner le tout, de bonnes références en vins de la vallée du Rhône ! Formules midi de 13 € à 21 €. (04 91 48 74 15 ; 2 rue Pastoret, 6ᵉ ; fermé dim-lun ; Notre-Dame-du-Mont)

## La Marche à Suivre

GRILLADES €€

88 🍴 Plan M7

De beaux et tendres morceaux de viande servis sur de larges planches à découper, accompagnés de légumes et pommes de terre au four. L'ambiance feutrée, avec ses bougies, ses banquettes et ses grands miroirs, convient à un tête-à-tête en amoureux ou à un bon repas entre amis. Service jusque tard. (📞04 91 48 16 44 ; 12 rue Vian, 6ᵉ ; 🕐tous les soirs ; Ⓜ Notre-Dame-du-Mont)

## Café Vian

BAR À VINS €€

Voir 88 🍴 Plan M7

Avec ses bonbonnes de vin, ses grands chandeliers et ses ceps de vigne, on se croirait dans une vieille auberge de campagne. Peu de vins à la carte, mais un choix rigoureux. Pour les petits creux, ne manquez pas les bruschettas ou la fameuse fondue de mamie Sissou ! (📞06 64 15 41 34 ; 12 rue Vian, 6ᵉ ; 🕐tous les soirs ; Ⓜ Notre-Dame-du-Mont)

## Lan Thaï

THAÏLANDAIS €€

89 🍴 Plan M7

Il a déménagé de quelques numéros. Le cadre reste intimiste et contemporain, et la cuisine thaïe, servie avec le sourire, de qualité et joliment présentée. Les gourmands ne manqueront pas les délicieux petits nems au chocolat ! (📞04 91 37 22 30 ; 7 rue Vian, 6ᵉ ; 🕐tous les soirs ; Ⓜ Notre-Dame-du-Mont)

## O'Pakistan

PAKISTANAIS €

90 🍴 Plan M8

La déco est un peu rococo mais les formules *thali* (assortiments) sont intéressantes pour goûter à tout. En dessert, craquez pour le *kulfi* ou pour un thé parfumé aux clous de girofle. (📞04 91 48 02 55 ; 11 rue des Trois-Rois, 6ᵉ ; 🕐tlj midi et soir ; Ⓜ Notre-Dame-du-Mont)

## L'Éléphant Rose à Pois Blancs

GLACIER ARTISANAL €

91 🍴 Plan M7

L'Éléphant propose de délicieuses glaces maison déclinées selon les humeurs de la saison et des gâteaux glacés. Pour le déjeuner, vous pourrez vous repaître de tartes salées, soupes et salades ou de gaufres à l'heure du goûter. (📞04 91 47 34 68 ; 3 rue des Trois-Rois, 6ᵉ ; 🕐 avr-sept tlj 12h-19h30, dim-lun à partir de 14h, oct-mars tlj sf lun 12h-19h30 ; Ⓜ Notre-Dame-du-Mont)

## Bataille

ÉPICERIE FINE €

92 🍴 Plan M9

Des produits de qualité à des tarifs raisonnables. Le secret ? L'envie de faire partager l'amour de la bonne chère. Bataille est une épicerie fine de grand renom, où l'on peut opter pour la formule du jour, la carte ou, tout simplement, piocher parmi les propositions de l'épicerie, on vous les apportera à table. (📞04 91 47 06 23 ; 25 place Notre-Dame-du-Mont, 6ᵉ ; 🕐restauration lun-sam midi, boutique lun-sam 9h-20h, dim 9h-13h ; Ⓜ Notre-Dame-du-Mont)

## La Table du Portugal

SPÉCIALITÉS PORTUGAISES €€

93  Plan M9

Ce petit restaurant portugais sans prétention, dont la spécialité est du genre... gallinacé, est plus connu sous le nom de "Roi du Poulet". Ses propriétaires l'ont récemment rebaptisé pour rendre justice au reste de la carte (brochettes de bœuf, morue, poulpes, etc.). Portions copieuses. (☎ 04 91 42 87 46 ; 14 place Notre-Dame-du-Mont, 6ᵉ ; ⏰ fermé dim soir et lun ; Ⓜ Notre-Dame-du-Mont)

## Biscuit et Biscuit

SALON DE THÉ €

94  Plan M9

Une adresse où l'on aime se lover pour déguster des pâtisseries à l'anglo-saxonne (apple-pie, carrot cake, brownie, etc.). Belle carte de thés, choix nombreux de cookies et brunch le samedi. Petite restauration le midi. (☎ 04 84 26 74 96 ; 9 rue de Lodi, 6ᵉ ; ⏰ mar-sam 12h-18h30 ; Ⓜ Notre-Dame-du-Mont)

## Dos Hermanas

TAPAS €

95  Plan M8

Tapas et ambiance bodega garanties ! Le nom de ce petit resto a été donné par la chanteuse Lhasa, qui a vécu dans le quartier. Il offre de quoi bien se nourrir à moindres frais. Murs colorés, bar en mosaïque et déco espagnole complètent le tableau. Aux beaux jours, le petit patio est des plus appréciables. (☎ 04 96 12 00 23 ; 18 rue Bussy-l'Indien, 6ᵉ ; ⏰ mar-sam, à partir de 18h ; Ⓜ Notre-Dame-du-Mont)

## Casa No Name

CUISINE DU SUD €€€

96  Plan N8

Un lieu chaleureux, où les plats fleurent bon le Sud. Au menu par exemple : un

### Ⓠ 100% marseillais
### Bon comme un camion

D'accord, il y a les pizzerias, mais à Marseille, les camions pizzas, c'est carrément une institution. Les soirs de matchs, entre amis l'été sur la plage, ou tout simplement quand le frigo est proche du vide intersidéral, on court au camion du coin et on attend que la pizza soit préparée en direct au feu de bois (comptez en moyenne 10 €). Royale, Trois Fromages, Arménienne, Figatelli, le choix est une torture... Pour la petite histoire, la première "pizza ambulante" a été lancée en 1962, allez savoir pourquoi, par un steward marseillais ! On en dénombre aujourd'hui une cinquantaine dans la ville et près de 500 dans le département. Pour satisfaire au mieux la clientèle, la Fédération nationale des artisans pizza en camion magasin (FNAPCM ; basée à Marseille, cela va de soi) a élaboré une charte affichée bien en vue sur certains camions. On trouve des camions pizzas dans chaque quartier, avec chacun ses délicieuses spécialités, mais voilà au moins deux valeurs sûres : Pizza Papa, à la Plaine et sur la place Notre-Dame-du-Mont (6ᵉ) selon les jours, ou Pizza Charly sur la place Sébastopol (4ᵉ).

ravioli à la truffe blanche et crème de parmesan ou des manchons de canard, patates sarladaises, sauce foie gras. Le côté intimiste font que l'on s'y sent comme chez soi. (📞 04 91 47 75 82 ; 7 rue Poggioli, 6e ; ⏰ fermé sam midi, dim et lun ; Ⓜ Notre-Dame-du-Mont)

### La Marmarita

ORIENTAL €€

97 ✕ Plan N8

Les prix sont doux et les assiettes généreuses : *kefte*, feuilles de vigne, caviar d'aubergine et autres mezzes raviront les palais. Le samedi soir, une danseuse orientale vient souvent électriser l'atmosphère délicieusement kitsch. (📞 04 91 47 07 03 ; 6 rue Saint-Pierre, 6e ; ⏰ fermé dim et lun midi ; Ⓜ Notre-Dame-du-Mont)

### La Tasca

TAPAS €€

98 ✕ Plan P9

Un peu à l'écart de la Plaine, La Tasca a su se tailler une jolie réputation. Le chef et ses tapas y sont certainement pour quelque chose : une cinquantaine figurent à la carte ! Dehors, le grand jardin arboré, aux allures baroques, est idéal pour les longues soirées d'été. L'hiver, il fait bon se réfugier sous la jolie véranda. (📞 04 91 42 26 02 ; 102 rue Ferrari, 5e ; ⏰ mar-sam 19h-2h ; Ⓜ Notre-Dame-du-Mont)

### La Taraillette

TRADITIONNEL €€€

99 ✕ Plan P7

La devise de cette maison renommée est simple : "Tout assoiffé de raisins

ristourne appréciera !" D'où la carte *TARRA* (40 €), qui donne droit, durant une année, à des vins très bien choisis à prix caviste ! Dans une ambiance délicieusement "vieille auberge" (une cheminée fonctionne en hiver), la cuisine traditionnelle fera également des heureux. (📞 04 91 48 91 48 ; 59 bd Eugène-Pierre, 5e ; ⏰ fermé sam midi, dim et lun ; Ⓜ Notre-Dame-du-Mont)

## Sortir

### L'Espace et le Café Julien

CONCERTS

100 ⭐ Plan M7

Une salle incontournable de 1 000 places avec ses lustres kitsch, sa bonne acoustique et ses concerts variés (rock, rap, reggae...). À côté, le Café Julien accueille, sur sa mini-scène, les talents de demain. (📞 04 91 24 34 10 ; www.espace-julien.com ; 39 Cours Julien, 6e ; Ⓜ Notre-Dame-du-Mont)

### La Baleine Qui Dit "Vagues"

THÉÂTRE

101 ⭐ Plan M8

Cette Baleine vous propose de venir écouter, entre amis ou en famille, des conteurs venus des quatre coins de la Terre et leurs histoires fantastiques, drôles ou émouvantes. Pour les petites faims, La Table de Gepetto s'est installée à deux pas de la scène. (📞 04 91 48 95 60 ; www.labaleinequiditvagues.org ; 59 Cours Julien, 6e ; Ⓜ Notre-Dame-du-Mont)

### L'Intermédiaire

CONCERTS

102 ⭐ Plan N8

Cet incontournable des nuits marseillaises a récemment changé de direction et de déco. Si, aux dires de certains, l'ambiance en a quelque peu pâti, la programmation live est toujours bien en place. (📞 04 91 47 01 25 ; 63 pl. Jean-Jaurès, 6ᵉ ; 🕐 lun-sam ; Ⓜ Notre-Dame-du-Mont)

### Montana Blues

BAR DE NUIT

103 ⭐ Plan N7

Ce rade improbable fait les fins de nuit de nombreux aficionados, qui viennent se déchaîner sur la piste de danse (📞 04 91 92 33 10 ; 16 place Jean-Jaurès ; 🕐 mar-sam ; Ⓜ Notre-Dame-du-Mont)

### Les 3 G

LESBIEN

104 ⭐ Plan N8

Ce bar associatif lesbien (mais pas seulement) organise régulièrement expos, rencontres et débats. (📞 04 91 48 76 36 ; 3 rue Saint-Pierre, 5ᵉ ; 🕐 jeu-sam ; Ⓜ Notre-Dame-du-Mont)

### L'Art Haché

BAR DE NUIT

105 ⭐ Plan O8

On y atterrit quand tous les bars de la Plaine ont fermé. Entrée discrète, déco minimaliste et musique de qualité. Si l'ambiance peut parfois paraître un peu trash, elle reste toujours sympa. (📞 04 96 12 45 89 ; 14 rue de l'Olivier, 5ᵉ ; 🕐 jusqu'à 6h ; Ⓜ Notre-Dame-du-Mont)

### Le Poste à Galène

CONCERTS

106 ⭐ Plan P9

Pour voir, avant tout le monde, les stars de demain. Dans cette petite salle de 200 places, un ancien hangar, la programmation est pointue, très orientée pop-rock. Certains samedis, les fameuses soirées "Années 1980" ne sont à manquer sous aucun prétexte. (📞 04 91 47 57 99 ; www.leposteagalene.com ; 103 rue Ferrari, 5ᵉ ; Ⓜ Notre-Dame-du-Mont)

### Théâtre Marie-Jeanne

THÉÂTRE

107 ⭐ Plan M10

Un théâtre de bouffons, de masques et de clowns non conventionnels. Bienvenue dans un monde de douce folie mené, de main de maître, par la troupe Sam Harkand, comme un écho à cette cité envoûtante. (📞 04 96 12 62 91 ; www.theatre-mariejeanne.com ; 56 rue Berlioz, 6ᵉ ; Ⓜ Notre-Dame-du-Mont)

### Le Cubaïla Café

CLUB

108 ⭐ Plan M8

Toute la chaleur cubaine est concentrée ici. On mange d'abord quelques tapas sur des banquettes aux imprimés "zèbre", pour se déhancher ensuite au sous-sol, dans une ambiance fabuleusement *caliente*. Les danseurs de salsa sont des rois, et certains hésitent parfois à se lancer sur la piste (📞 04 91 48 97 48 ; www.cuballacafe.fr ; 40 rue des Trois-Rois, 6ᵉ ; 🕐 mer-dim jusqu'à 3h ; Ⓜ Notre-Dame-du-Mont)

### Le Paradox
CONCERTS

109 ⭐ Plan L8

Dans ce bel espace de 250 m² se succèdent sans chichis chanson française, slam, reggae ou jazz. Côté cuisine, vous pourrez grignoter, entre autres, quelques tapas à l'étage. (📞 04 91 63 14 65 ; www.leparadox.fr ; 127 rue d'Aubagne, 6ᵉ ; 🕐 fermé dim ; Ⓜ Notre-Dame-du-Mont)

### La Machine à Coudre
CONCERTS

110 ⭐ Plan L7

Le royaume du punk-rock live. C'est en lieu et place d'un ancien atelier – d'où le nom – que cette minuscule salle alternative a vu le jour, en 1994. On se définit ici volontiers comme frondeur, adepte de la contre-culture et allergique au défunt Top 50. (📞 04 91 55 62 55 ; www.lamachineacoudre.com ; 6 rue Jean-Roque, 1ᵉʳ ; 🕐 mer-sam jusqu'à 2h ; carte d'adhérent obligatoire (1 €) ; Ⓜ Notre-Dame-du-Mont)

### Le Daki-Ling-Le Jardin des Muses
SPECTACLES

111 ⭐ Plan L7

Installé sous les voûtes d'une ancienne chapelle du XIIIᵉ siècle, qui fut aussi le premier jeu de paume de Marseille puis une salle des ventes, Le Daki-Ling a choisi aujourd'hui de promouvoir les arts du spectacle à prix réduits : danse, théâtre, mais aussi films documentaires. (📞 04 91 33 45 14 ; www.dakiling.com ; 45A rue d'Aubagne, 1ᵉʳ ; Ⓜ Notre-Dame-du-Mont ou Noailles)

### L'Éolienne
CONCERTS

112 ⭐ Plan K6

Venez découvrir ce lieu culturel associatif, sa cave voûtée, ses concerts inspirés des quatre coins du monde, sa bonne humeur et ses petites assiettes à grignoter ! (📞 04 91 37 86 89 ; www.leolienne-marseille.fr ; 5 rue Méolan, 1ᵉʳ ; Ⓜ Noailles)

### Théâtre du Gymnase
THÉÂTRE

113 ⭐ Plan M6

Dirigé par Dominique Bluzet, le Gymnase fonctionne de pair avec le Théâtre du Jeu de Paume et le Grand Théâtre de Provence à Aix-en-Provence. Ce théâtre à l'italienne a fait le choix d'une création classique et contemporaine, agrémentée parfois de concerts. (📞 04 91 24 35 24 ; www.lestheatres.net ; 4 rue du Théâtre-Français, 1ᵉʳ ; Ⓜ Noailles)

# Shopping

### Floh
MODE

114 🔒 Plan M8

Jolies robes, tops et pièces colorées qui fleurissent dans l'imagination d'une créatrice marseillaise. (17 rue Bussy-l'Indien, 6ᵉ ; 🕐 mar-ven 11h-13h et 15h-19h, sam 11h-19h ; Ⓜ Notre-Dame-du-Mont)

### Lolla Marmelade
MODE

115 🔒 Plan M7

Atelier-boutique de cette créatrice marseillaise qui tranche quelque peu au cours "Ju" avec ses coupes structurées. (📞 04 91 42 98 32 ; 30 Cours Julien, 6ᵉ ;

mar-ven 13h-19h, sam 11h-19h ; **M** Notre-Dame-du-Mont)

### Madame Zaza of Marseille MODE

**116** Plan M8

L'aventure continue pour cette marque orpheline de sa créatrice, qui était un pilier incontournable de la mode marseillaise. (04 91 48 05 57 ; 73 cours Julien, 6e ; lun-sam ; **M** Notre-Dame-du-Mont)

### Tata Zize MODE

**117** Plan N8

Outre les créations de Tata Zize, une sélection des meilleurs créateurs du moment, marseillais ou espagnols. Également une belle sélection de chaussures. (04 91 47 57 19 ; 29 rue Bussy-l'Indien, 6e ; lun 14h-19h, mar-sam 10h-19h ; **M** Notre-Dame-du-Mont)

### Bemyself MODE

**118** Plan M8

Des T-shirts et accessoires customisés peints à la main (travail également sur commande). Remarquable ! (06 09 14 60 57 ; 22 rue Bussy-l'Indien, 6e ; mar-sam ; **M** Notre-Dame-du-Mont)

### Les Fées Bizar(t) MODE

**119** Plan M7

Trois jeunes créatrices qui ne se quittent jamais donnent vie à de belles pièces élégantes et poétiques. (04 91 37 69 27 ; 8 rue des Trois-Rois, 6e ; lun-ven 12h-18h30, sam 10h-19h30 ; **M** Notre-Dame-du-Mont)

### La Licorne SAVONNERIE

**120** Plan M7

On fabrique ici du savon de Marseille grâce à des machines et des techniques qui n'ont pas changé depuis plus de 100 ans ! Les visites de l'atelier, gratuites, sont très intéressantes. (04 96 12 00 91 ; 34 Cours Julien, 6e ; lun-sam 9h-19h ; **M** Noailles)

### Brick City STREETWEAR

**121** Plan M7

Des T-shirts graphiques et engagés, signés d'artistes locaux. (04 91 58 41 22 ; 3 rue des Trois Mages, 6e ; mar-sam 11h-19 ; **M** Notre-Dame-du-Mont)

### Lollipop Music Store DISQUAIRE

**122** Plan L9

Vinyles, CD, livres et T-shirts. Et un espace pour les showcases et expos. (04 91 81 23 39 ; 2 boulevard Théodore-Thurner, 6e ; lun 14h-19h, mar-mer 11h-19h, jeu-sam 11h-20h ; **M** Notre-Dame-du-Mont)

## Sports et activités

### Hammam Rafik HAMMAM

**123** Plan K6

Ambiance traditionnelle de conte oriental avec tapis, tentures et mobilier en fer forgé. Le bain est au sous-sol : on s'y lave ou on s'y fait masser. Exclusivement féminin. (04 91 54 21 62 ; 1A rue de l'Académie, 1er ; hammam 20 €, forfaits 30-70 € ; lun, mer et ven 13h30-19h, jeu-sam-dim 9h30-19h30 ; **M** Noailles)

Explorer

# Préfecture, Castellane et le Prado

Au cœur de la ville, le quartier de la Préfecture concentre institutions et commerces. Sans monument notable à visiter, il donne néanmoins une vision plus quotidienne de Marseille. En poursuivant vers Castellane s'ouvre le 8ᵉ arrondissement, bien loin de l'atmosphère populaire du centre. Ici, place à l'envers cossu, policé et résidentiel. L'avenue du Prado (composée de trois tronçons) file jusqu'à la mer, vers les plages.

# L'essentiel en un jour

☀️ Commencez la journée par un petit-déjeuner au **Café de la Danque** (p. 82) ou à l'une des terrasses de la place Félix-Barret, dominée par la préfecture. Ensuite, visitez le **musée Cantini** (p. 78), qui a bénéficié d'une rénovation bienvenue. Poursuivez par un peu de lèche-vitrines dans le quartier des antiquaires, par exemple au **Studio 19** (p. 85), à la **Galerie Uniq** (p. 85) ou au **Vert Galant** (p. 85).

☀️ En restant déjeuner dans le quartier Préfecture, vous pourrez tester les combos tartes salées-salades de **Boudiou** (p. 81) ou les bols du jour du bar à riz **Qi Restaurant** (p. 81). Rassasié, prenez la direction de la **Cité Radieuse** (p. 76), la "Maison du Fada", comme la surnomment les Marseillais. Puis, selon vos envies, poursuivez avec la visite du **musée d'Art contemporain** (p. 78) ou avec celle du **musée des Arts décoratifs, de la Faïence et de la Mode** (p.79) au sein du château Borély.

🌙 Si vous êtes là un soir de match, rendez-vous au **stade Vélodrome** (p. 78), où des visites sont par ailleurs régulièrement organisées. Il y a pléthore de buvettes alentour pour manger une merguez et boire un coup. Autrement, gagnez les rivages de la plage. À la Pointe-Rouge, **O'Pédalo** (p. 82) est l'un des restaurants-pizzerias qui permettent de manger les pieds dans le sable. Absolument dépaysant.

## 👁️ Les incontournables

La Cité radieuse (p.76)

## ❤️ Le meilleur du quartier

**Musées**

Musée Cantini (p. 78)

Musée des Arts décoratifs, de la Faïence et de la Mode (p. 79)

**Espaces verts**

Parc Borély (p. 79)

Parc balnéaire du Prado (p. 80)

Jardin de la colline Puget (p. 78)

**Pour déjeuner**

Boudiou (p. 81)

Qi Restaurant (p. 81)

Pasta e Dolce (p. 82)

## Comment y aller

Ⓜ️ **Métro** Préfecture, Castellane, Rond-Point-du-Prado

## Les incontournables
# La Cité radieuse

Joyau de l'architecture contemporaine, la Cité radieuse séduit toujours autant les férus d'architecture urbaine. Édifiée entre 1947 et 1952 par Le Corbusier, cette imposante construction de 137 m de longueur par 24 m de largeur et 52 m de hauteur est classée monument historique. Son béton brut, ses pilotis et ses loggias polychromes n'ont pas toujours séduit les Marseillais, qui la surnommaient la "Maison du Fada". Il faut dire que l'idée de créer un laboratoire pour un nouveau "système d'habitat" était, à l'époque, avant-gardiste.

◉ Hors plan

280 bd Michelet, 8ᵉ

Ⓜ Rond-Point-du-Prado, puis bus n° 21 ou 22

# À ne pas manquer

### L'architecture extérieure

Première constatation en arrivant aux abords de la Cité radieuse : elle n'est pas parallèle au bd Michelet. De fait, Le Corbusier voulait situer son magistral édifice face au soleil. Les pilotis caractérisent le bâtiment, de même que les loggias de couleurs primaires qui rythment la façade extérieure. Le parc entourant la cité réserve aussi quelques surprises, avec des sols variés, les totems du parvis ou encore les jeux aménagés sur les buttes.

### Les appartements

La Cité compte 337 appartements, la cellule de base de 98 m² – conçue comme une maison individuelle – comportant 23 variantes possibles. Au départ logement social, l'ensemble a vite été revendu par l'État si bien qu'il est devenu une copropriété. Les logements sont aujourd'hui occupés en majorité par une population aisée composée entre autres de journalistes, d'architectes, de médecins et d'avocats. À défaut de visiter un appartement-témoin, des plans vous en détaillent le principe au 3ᵉ étage.

### La rue commerçante et le toit-terrasse

Tous deux faisaient partie intégrante de la ville verticale imaginée par Le Corbusier. Les commerçants originels ont depuis longtemps quitté les lieux, remplacés par des galeries d'art ou des bureaux d'architecte. La rue (qui occupe le 3ᵉ étage) compte néanmoins une librairie spécialisée en architecture et un restaurant. N'oubliez pas de vous hisser jusqu'au toit-terrasse pour découvrir un magnifique point de vue. Une pataugeoire est aménagée pour les enfants. Le toit compte aussi un gymnase… et une "piste d'athlétisme" (qui ressemble plus à une promenade) en fait le tour.

☑ **À savoir**

▶ Pour visiter un appartement-témoin, il faut passer par les visites de l'office du tourisme, généralement organisées le vendredi après-midi.

▶ Il est possible de visiter librement la rue commerçante et le toit-terrasse, en laissant simplement votre nom à l'agent de sécurité dans le hall d'entrée.

▶ Des expositions sont organisées dans le hall, et des projections en plein air sur le toit-terrasse (voir www.marseille-citeradieuse.org).

✘ **Une petite faim ?**

Pour profiter d'un cadre d'exception (mobilier Charlotte Perriand et Jean Prouvé) et faire vibrer vos papilles à la cuisine créative et moderne d'Alexandre Mazzia, offrez-vous une escapade culinaire au Ventre de l'Architecte (☏ 04 91 16 78 23, 280 bd Michelet, 8ᵉ ; ☺ mar-sam). Seul le service est un brin compassé.

# Voir

## Musée Cantini ART MODERNE

**124** 👁 Plan J8

Lui aussi a fait l'objet d'une importante rénovation à l'occasion de Marseille Provence 2013. Outre les expositions temporaires, on peut y voir une très belle collection d'art moderne couvrant la période 1900-1960. C'est le célèbre marbrier Jules Cantini qui fit don à la ville, en 1916, de ce magnifique hôtel particulier du XVII$^e$ siècle pour qu'il devienne un musée. Tous les grands courants de l'art du XX$^e$ siècle y sont représentés, du fauvisme au cubisme, en passant par le surréalisme. Vous pourrez admirer, notamment, des œuvres majeures de Signac, Derain, Kandinsky, Picabia et Picasso. (📞 04 91 54 77 75 ; 19 rue Grignan, 6$^e$ ; grandes expositions tarif plein/réduit 8/5 €, collection permanente 5/3 € ; 🕐 mar-dim 10h-18h, nocturne jusqu'à 22h le jeudi ; Ⓜ Préfecture)

## Jardin de la Colline Puget PARC PUBLIC

**125** 👁 Plan F9

C'est le plus ancien parc public de la ville. Aménagé au tout début du XIX$^e$ siècle, il est situé dans le prolongement du cours du même nom. Ne manquez pas, sur ses hauteurs, le magnifique point de vue sur la Côte Bleue, le Panier et la cathédrale de la Major. (Rue Abbé-d'Assy, 7$^e$ ; 🕐 nov-fév 8h-17h30, mars-avr et sept-oct 8h-19h, mai-août 8h-20h)

## Place Castellane GRANDE PLACE

**126** 👁 Plan L12

C'est l'un des centres névralgiques de la ville. Créée à la fin de l'Ancien Régime, elle constitue le point de convergence de plusieurs grandes avenues. Au centre se dresse l'imposante fontaine Cantini, datant de 1913.

## Stade Vélodrome ENCEINTE SPORTIVE

👁 Hors plan

Plus qu'un stade, un mythe : le temple de l'OM où, les jours de match, vibre toute la ferveur des Marseillais. Le lieu a une telle importance que le métro circule plus tard les soirs de match. Construit en 1937, le Stade Vélodrome est en cours de rénovation, pour accueillir notamment les rencontres de l'Euro 2016. Pour les amateurs, des **visites** (📞 0826 10 40 44 ; à partir de 10€ ; 🕐 mer-sam-dim, et tlj pendant les vac) de la zone B sont régulièrement organisées. Elles permettent d'emprunter le tunnel menant à la pelouse légendaire, au son de milliers de supporters… (3 bd Michelet, 8$^e$ ; Ⓜ Rond-Point-du-Prado)

## Musée d'Art contemporain (MAC) MUSÉE

👁 Hors plan

Une intéressante collection d'œuvres contemporaines, couvrant une période allant des années 1960 jusqu'à nos jours. Avant d'entrer, ne manquez pas l'imposant *Pouce* de César, installé sur le rond-point voisin. À travers des expositions temporaires variées, le

# 100% marseillais

## L'Olympique de Marseille

C'est peu de le dire : l'OM et Marseille sont mariés, enchaînés, pour le meilleur et pour le pire. Une relation passionnelle qui dure depuis plus de 100 ans, puisque le club a vu le jour en 1899 ! Même si vous n'aimez pas le foot, impossible d'ignorer l'excitation qui enveloppe la ville avant et pendant les matchs. Des sensations à vivre, si le cœur vous en dit, dans l'ambiance unique du Stade Vélodrome. Après la flamboyante ère Tapie (1986-1994), le premier club français vainqueur d'une Coupe d'Europe (1993) a connu pendant près de dix ans une véritable descente aux enfers, accentuée par d'incessantes affaires judiciaires. Ces dernières années, l'OM semble retrouver la sérénité, une gestion plus rationnelle et de l'ambition sportive. Les efforts de l'équipe dirigeante et de l'actionnaire (Margarita Louis Dreyfus a pris le relais de son mari RLD, décédé en juillet 2009) ont été récompensés, puisque le club a enfin renoué avec le succès, après une longue période de disette, en remportant le doublé Championnat-Coupe de la Ligue en 2010. Malgré le doublé Championnat-Coupe de la Ligue en 2010, suivi de deux nouveaux succès en Coupes de la Ligue en 2011 et en 2012, les résultats du club restent irréguliers et l'OM peine à retrouver son rayonnement passé sur la scène européenne.

Mac dévoile régulièrement une partie des 600 pièces de son fonds, parmi lesquelles des œuvres d'Arman, Spoerri, Ben, Burren, Viallat, Warhol ou Burden. (📞 04 91 25 01 07 ; 69 av. de Haïfa, 8ᵉ ; collection permanente 5/3 € ; 🕐 mar-dim 10h-18h ; Ⓜ Rond-Point-du-Prado, puis bus n° 23 ou 45)

## Parc Borély

ESPACE VERT

◉ Hors plan

Fort de ses 17 ha, ce domaine aux jardins soignés est très prisé des familles marseillaises pour le footing matinal ou une promenade romantique sur le plan d'eau. Un hippodrome, un practice de golf et un jardin botanique complètent la palette des divertissements proposés au sein de

ce remarquable espace vert. Les plus petits insisteront sûrement pour faire une balade avec une voiture à pédales. (av. du Prado ; 8ᵉ ; 🕐 tlj 6h-21h ; Ⓜ Rond-Point-du Prado, puis bus n°19)

## Musée des Arts décoratifs, de la Faïence et de la Mode

CHÂTEAU BORÉLY

◉ Hors plan

Au cœur du parc du même nom, le château Borély a entièrement été rénové pour accueillir les collections, à présent rassemblées, ayant trait aux arts décoratifs, à la faïence et à la mode. Ce musée contient plus de 1 500 pièces de céramique, de la préhistoire aux dernières créations de Philippe

BASILE VAILLANT©

Skate bowl du parc balnéaire du Prado

Starck. Une large part est réservée aux productions locales. Marseille a connu en effet, depuis la fin du XVIIe siècle, une florissante activité faïencière, avec près de 15 manufactures recensées dans la seconde moitié du XVIIIe siècle. Côté mode, certaines pièces de la collection remontent aux années 1930. (☑04 91 25 26 34 ; 134 av. Clot-Bey, 8e ; ⊙mar-dim 10h-18h, tarif plein/réduit 5-3€ ; Ⓜ Rond-Point-du-Prado, puis bus n°19)

## Parc balnéaire du Prado
PLAGES ET ESPACES VERTS

◉ Hors plan

Gagné sur la mer, dans les années 1980, grâce aux remblais issus du percement du métro, ce parc fait la fierté de la ville. Ses 26 ha d'espaces verts, qui bordent 10 ha de plages de sable, font de ce secteur un immense espace de loisirs. Au gré des pelouses, émaillées de parcours de remise en forme et d'aires de pique-nique, se succèdent concours de skate sur le célèbre bowl, festival de cerfs-volants, championnats de *beach soccer* ou bien des concerts. À son sommet trône une sculpture de Jean Amado, *Le Bateau ivre* (1989), dédiée au poète Arthur Rimbaud, mort à Marseille à son retour d'Arabie. Quant à la statue du *David*, copie sans complexe, érigée en 1951, de la statue de Michel-Ange, si elle surprend au premier abord, elle remplit en tout cas une fonction des plus utiles comme point de rendez-vous. En vous avançant vers l'Escale Borély en direction de la plage de la Pointe-Rouge, vous trouverez une multitude de cafés, de restaurants et de karaokés. (🚌 n°83 depuis la Corniche ou 19, 44 et 72 depuis le centre-ville)

# Se restaurer

### Boudiou
CANTINE BIO €

127 ✕ Plan L9

De la ferme à l'assiette, tel est le crédo de Boudiou qui excelle dans l'art de composer des tartes salées et des salades au gré des saisons. Les noms des producteurs locaux sont écrits sur une grande ardoise. Le lieu fait aussi livraison de paniers bio le vendredi (il reste alors ouvert pour l'apéro). Quelques tables dehors, dans le petit patio. (☎04 91 33 94 01 ; 13 bd Louis-Salvador, 6ᵉ ; ⏰midi lun-sam ; Ⓜ Notre-Dame-du-Mont ou Préfecture)

### Minoofi Bakery
SALON DE THÉ €

128 ✕ Plan J10

Un endroit minuscule (quelques tables en bas et en mezzanine) mais bien doux à qui apprécient les cupcakes, les cheese-cakes et autres gourmandises d'outre Atlantique. Le midi, on peut y déjeuner de bagels du jour. Sur place ou à emporter. (☎04 91 47 07 75 ; 104 rue Paradis, 6ᵉ ; ⏰lun-sam 10h-19h ; Ⓜ Préfecture)

### Qi Restaurant
BAR À RIZ €

129 ✕ Plan G9

On commence par choisir son riz (basmati, cambodgien, noir gluant,

rouge complet) puis on compose son bol en ajoutant les ingrédients de son choix parmi les sauces (citronnelle, crème de menthe fraîche...), protéines (bœuf grillé, crevettes roses, houmous...), légumes (courgettes, lentilles vertes...) et garnitures (ciboulette, coriandre, graines de sésame...). Ou alors on cède à la proposition du jour. Le tout est frais, fin et savoureux. Réservez ! (☎04 86 97 26 77 ; 72 rue de la Paix-Marcel-Paul, 6ᵉ ; ⏰lun-ven 12h 15h ; Ⓜ Préfecture)

### Le Grain de Sel
BISTRONOMIQUE €€€

130 ✕ Plan G8

Ce restaurant ne laisse pas place à l'improvisation tant il faut réserver à l'avance. Ce désagrément mis à part, on découvre une salle au décor brut, un bel écrin pour la cuisine fine et inventive concoctée ici. Le menu change chaque jour et compte seulement quelques propositions. (☎04 91 54 47 30 ; 39 rue de la Paix-Marcel-Paul, 1ᵉʳ ; ⏰midi mar-sam, soir ven-sam ; Ⓜ Préfecture)

### Malthazar
BRASSERIE €€€

131 ✕ Plan H8

Depuis que Michel Portos, chef étoilé qui sévissait dans le Bordelais, à Bouliac, a repris cette belle brasserie, l'adresse est sur toutes les lèvres. On ne cache pas de notre côté une certaine déception – les plats manquent parfois de finesse ou de simplicité – mais on vous laisse juge, car le succès est pour le moment au

rendez-vous. (☎04 91 33 42 46 ; 19 rue
Fortia, 1ᵉʳ ; ⊙tlj midi et soir ; Ⓜ Préfecture)

## Limone
CUISINE SICILIENNE €€

**132** 🍴 Plan G10

La cuisine de Patrizia fleure bon
l'authenticité de ses terres siciliennes
natales. Elle aime à travailler les
légumes et les poissons, mais régale
aussi de ses gnocchis maison. Les
assiettes sont généreuses, le service
accueillant. (☎04 91 91 47 64 ; 32 bd
Notre-Dame, 6ᵉ ; ⊙midi mar-ven, soir ven-sam ;
Ⓜ Préfecture)

## Sushi Street Café
JAPONAIS €€

**133** 🍴 Plan G9

Une Irlandaise règne en maître ès
sushis sur ce minuscule resto. Les
amateurs de makis et de sashimis
trouveront leur bonheur, mais les
autres plats japonais sont aussi à tester
les yeux fermés. Les desserts, spécialité
de la chef, sont à tomber (tentez la
glace caramel-wasabi !). Pensez à
réserver et, un conseil, ne venez pas
plus nombreux que prévu, au risque de
vous faire tout bonnement éconduire !
(☎04 91 54 17 90 ; 24 bd Notre-Dame, 6ᵉ ;
⊙mar-sam, sauf sam midi ; Ⓜ Préfecture)

## Le Bistrot
## d'Édouard
MÉDITERRANÉEN €€

🍴 Hors plan

Une adresse à conseiller pour son
cadre des plus agréables (terrasse
et patio) et ses tapas d'une belle
fraîcheur (poêlée de calamars,

aubergines grillées, fleurs de
courgettes, etc.). (☎04 91 71 16 52 ;
rue Jean-Mermoz, 8ᵉ ; ⊙fermé dim-lun ;
Ⓜ Rond-Point-du-Prado)

## Pasta e Dolce
TRATTORIA €€

🍴 Hors plan

À première vue, il s'agit d'une épicerie
italienne classique, débordant de
fromages, de charcuteries et de
chianti. Mais, dans la petite salle du
fond aux airs de véritable trattoria,
on vous sert aussi de délicieuses
assiettes de pâtes fraîches préparées
par une vraie famille italienne. On s'y
croirait ! (☎04 91 77 75 69 ; 199 av. de
Mazargues, 8ᵉ ; ⊙mar-sam midi)

## O'Pédalo
TRADITIONNEL €€

🍴 Hors plan

Pour le plaisir d'avoir les pieds dans
le sable, sous la table, face au soleil
couchant. Dans les assiettes, une
cuisine simple mais honnête. (☎04 91 73
19 44 ; 37 av. de la Pointe-Rouge, 8ᵉ ; ⊙tlj midi
et soir avr-oct, tous les midis, ven et sam soir en
mars, fermé nov-fév)

# Prendre un verre

## Café de la Banque
CAFÉ-RESTAURANT

**134** 🍷 Plan J9

La terrasse est chauffée l'hiver, mais
le café – chose précieuse à Marseille –
dispose aussi d'un intérieur agréable,
tendance brasserie à la parisienne.
Les apéros sont ici très appréciés

car assortis d'à-côtés offerts (toast de tarama, olives, etc.). Restauration le midi. (☎ 04 91 33 35 07 ; 24 bd Paul-Peytral, 6e ; ⏲ lun-sam 7h-21h30 ou 22h ; Ⓜ Préfecture)

### Le Red Lion
BAR

Hors plan

L'Angleterre à portée de comptoir ! Un vrai pub, avec son jeu de fléchettes, ses serveuses anglaises, ses retransmissions de matchs de foot et de rugby, ses bonnes bières et sa foule. Quand le temps le permet, la terrasse offre un peu d'air, au bord de la route mais face aux plages de l'Escale Borély. (☎ 04 91 25 17 17 ; 231 av. Pierre-Mendès-France ; ⏲ tlj 16h-2h, jusqu'à 1h les week-ends et veilles de jours fériés)

## Sortir

### Musicatreize
CONCERTS

135 Plan H8

L'ensemble musical Musicatreize, dirigé par Roland Hayrabedian, a ouvert son espace de répétition au public. Des concerts de grands solistes et compositeurs de musique baroque et classique y sont programmés. (☎ 04 91 55 02 77 ; www.musicatreize.org ; 53 rue Grignan, 6e ; Ⓜ Préfecture)

### Le Bazar
CLUB

Hors plan

Le terrain de jeu de la jeunesse dorée marseillaise. Attention, mieux vaut avoir enfilé sa panoplie de *fashion victim* pour passer la sélection drastique de cette boîte, qui comprend une très grande salle avec mezzanine, quatre bars et un patio VIP. L'originalité du lieu tient à sa palmeraie, où il fait bon boire un verre en été. (☎ 04 91 79 08 88 ; 90 bd Rabatau, 8e ; ⏲ jeu-sam en été, ven-sam le reste de l'année)

> 100% marseillais
> **Saint-Fé versus Paradis**
> Située dans l'axe de la Préfecture, la rue Saint-Ferréol – abrégée par les locaux "Saint-Fé" – est une artère commerçante piétonne bien connue des Marseillais. Elle rassemble nombre de grandes chaînes (H&M, Zara, Sephora, Galeries Lafayette...) et conduit, après la Canebière, au Centre Bourse. Changement total d'ambiance dans la rue Paradis, parallèle à Saint-Fé : les adresses se font ici plus chics, et plus encore lorsque l'on monte vers le 8e.

### Sport's Beach Café
CLUB

Hors plan

L'été, une foule argentée danse autour de la piscine, son pont en bois et ses palmiers... Tout au long de l'année, il y a aussi des soirées salsa, électro ou funk et un bar à cigares. (☎ 04 91 76 12 35 ; 138 av. Pierre-Mendès-France ; ⏲ soirées ven et sam à partir de 22h)

# Shopping

### Sylvain Depuichaffray PÂTISSIER

**136** 🔒 Plan H8

Des pâtisseries délicieuses et originales à s'en lécher les babines : tarte thé vert-litchi-framboise, macaron fraise-basilic, verrines et entremets glacés... Espace salon de thé pour déguster le tout sur place. Il y a aussi du salé le midi : sandwichs, quiches et salades composées, entre autres. (📞 04 91 33 09 75 ; 66 rue Grignan, 1er ; ⏰ lun 7h30-16h, mar-ven 7h30-19h, sam 8h30-19h ; Ⓜ Préfecture)

Rue Saint-Ferréol, le cœur marchand de la ville

BASILE VAILLANT©

### À savoir

**Jours de brocante**

Le quartier des antiquaires, autour de la Préfecture, devient piéton quatre dimanches par an durant les journées d'antiquité brocante. Les dates se trouvent sur le site de l'association Rostand (www.antiquairesmarseille.com).

### Luciole THÉS ET OBJETS DU JAPON

**137** 🔒 Plan J8

Thés Mariage Frères, céramiques en provenance du Japon, théières en fonte, papiers d'art... Luciole a un véritable univers, qui invite au voyage. (📞 04 91 33 10 00 ; 15 rue Venture, 1er ; ⏰ lun 12h-19h, mar-sam 9h30-19h ; Ⓜ Préfecture)

### Pain de Sucre MAILLOTS DE BAIN

**138** 🔒 Plan J9

Cette société marseillaise commercialise une ligne de maillots de bain très élégante, dont la qualité n'est plus à prouver. (📞 04 91 55 64 83 ; www.paindesucre.com ; 17 rue Montgrand, 1er ; ⏰ lun-sam 10h-19h, parfois fermé entre 13h30 et 14h30 ; Ⓜ Préfecture)

### Massilia Surf Shop MODE

**139** 🔒 Plan K8

Magasins de vêtements streetwear. (📞 04 91 54 30 60 ; 2 rue Dieudé, 6e ; ⏰ lun-sam 10h-19h ; Ⓜ Préfecture ou Notre-Dame-du-Mont)

### London Calling
MODE

**140** 🔒 Plan K8

Cette boutique pour hommes de la rue de la Palud mérite le détour pour sa belle sélection de marques anglaises (Fred Perry, Ben Sherman, Teddy Smith, etc.). (📞 04 91 33 23 48 ; 54 rue de la Palud, 1er ; ⏰ lun-sam 11h-18h30 ; Ⓜ Notre-Dame-du-Mont)

### Chez Louis
MAROQUINERIE

**141** 🔒 Plan K8

Ce créateur propose des sacs et des bagages en cuir modernes et originaux. (📞 04 91 33 26 26 ; 1 rue Grignan, 1er ; ⏰ lun-sam 11h-13h et 14h-19h ; Ⓜ Préfecture ou Notre-Dame-du-Mont)

### Studio 19
ANTIQUAIRE

**142** 🔒 Plan K10

Au cœur du quartier des antiquaires, vous trouverez ici du petit mobilier et de la déco d'intérieur, vintage ou contemporain. (📞 04 91 53 35 67 ; www.studio19.fr ; 3 rue Edmond-Rostand, 6e ; ⏰ mar-sam 10h-13h et 14h-19h ; Ⓜ Préfecture)

### Au Vert Galant
ANTIQUAIRE

**143** 🔒 Plan K10

Une avalanche d'argenterie et de lustres en cristal qui comblera les chineurs. (📞 04 91 37 22 08 ; 27 rue Sylvabelle, 6e ; sur rdv ; Ⓜ Préfecture)

### Uniq Galerie
BOUTIQUE VINTAGE

**144** 🔒 Plan K10

D'un côté les vêtements, de l'autre le mobilier, le tout siglé années 1950-1970. (📞 04 84 26 12 72 ; 16 et 18 rue Edmond-Rostand, 6e ; ⏰ lun-sam 10h-19h ; Ⓜ Préfecture)

### Marché du Prado
MARCHÉ

🔒 Hors plan

C'est le plus grand marché de Marseille, où vous trouverez des fruits et des légumes, mais aussi et surtout des vêtements, des accessoires et des objets de la vie quotidienne. (av. du Prado, 6e ; ⏰ lun-sam 7h-13h30 ; Ⓜ Castellane)

## Sports et activités

### Bains de Breteuil
HAMMAM

**145** 🔓 Plan I10

Dans une ambiance sophistiquée et branchée tout en couleurs, vous pourrez profiter, en plus du hammam, de soins naturels à thèmes (oriental, africain, asiatique...). (📞 04 96 10 22 10 ; www.bainsdebreteuil.com ; 46 rue de Breteuil, 6e ; hammam 25 €, forfaits 49-209 € ; ⏰ femmes lun, mer 10h-16h30, jeu-sam 10h-19h, mar 10h-18h ; hommes lun 16h30-20h, mer 16h30-21h ; mixte nov-Pâques dim 10h30-19h30)

Explorer

# Canebière, Belsunce, Longchamp et Belle de Mai

Les visiteurs sont souvent surpris à la découverte de l'avenue la plus célèbre de Marseille. La Canebière n'a pas le lustre attendu malgré le tramway qui a quelque peu changé sa physionomie. Il faut aller chercher un peu à l'écart ce qui fait le pittoresque de cet axe structurant : le bouillonnant cours Belsunce, le majestueux palais Longchamp et, plus loin encore, l'énergique Friche de la Belle de Mai.

# L'essentiel en un jour

☀️ Petit-déjeunez à la **Boutique du Glacier** (p. 98) en bas de la Canebière, pour son jus d'orange frais et surtout ses croissants au beurre d'Isigny. Si l'histoire commerciale et maritime de Marseille vous intéresse, faites un arrêt au **Palais de la Bourse** (p. 95), juste à côté. Remontez ensuite le cours Belsunce, pour voir la façade l'**Alcazar** (p. 96), puis visitez le **mémorial de la Marseillaise** (p. 95).

☀️ Revenez à l'Alcazar pour attraper le tramway qui remonte la Canebière. Descendez à l'arrêt Longchamp. De là, il vous faudra une dizaine de minutes à pied pour rejoindre la **Friche la Belle de Mai** (p. 90), en passant par le boulevard Montricher puis par la rue Bénédit. Prenez le temps de déjeuner aux **Grandes Tables** (p. 91). Vous ferez le même chemin en sens inverse pour rejoindre le **palais Longchamp** (p. 88), où vous visiterez les musées qu'il abrite, ou ferez une pause de verdure dans le parc.

🌙 À l'apéro, optez pour **Le Longchamp Palace** (p. 92), un incontournable. Pour une ambiance plus tranquille, rendez-vous au **Débouché** (p. 99) ou à la terrasse des **Danaïdes** (p. 98). Ensuite, dînez de coquillages et crustacés au **Toinou** (p. 97). Si votre plan de soirée prévoit un concert à **La Mesón** (p. 100), préférez un dîner à **La Boîte à Sardine** (p. 99), plus proche.

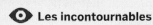

## 👁 Les incontournables

Le palais Longchamp (p. 88)

Le mémorial de la Marseillaise (p. 95)

La Friche la Belle de Mai (p. 90)

## 🔍 100% marseillais

Quartier libre à Longchamp (p. 92)

## ❤️ Le meilleur du quartier

**Adresses bio**

Grain de Sable (p. 97)

Green Bear Coffee (p. 98)

**Avec des enfants**

Pouce (p. 93)

Le parc Longchamp (p. 89)

Zoé la Fée Circus (p. 101)

La Boutique du Glacier (p. 98)

Le Royaume de la Chantilly (p. 93)

## Comment y aller

Ⓜ **Métro** Lignes 1 et 2, arrêts Noailles, Réformés et Saint-Charles

🚊 **Tramway** Ligne 1 arrêt Noailles ou ligne 2 arrêts Belsunce Alcazar Canebière-Garibaldi, Réformés-Canebière, Boulevard National, Longchamp

## Les incontournables
# Le palais Longchamp

À la gloire de l'art, des sciences et de l'eau, le palais Longchamp, véritable ode architecturale, célèbre l'arrivée des eaux de la Durance directement dans la ville, par le canal long de 87 km construit à cet effet. La décision a été prise en 1839, après une grave épidémie de choléra. Le palais Longchamp, lui, fut élevé à partir de 1862 sur des plans d'Henri Espérandieu. Ses jeux d'eau, ses bassins, ses colonnades et sa cascade sont une illustration éclatante des ambitions architecturales du siècle d'or marseillais, au cours duquel la physionomie de la ville fut totalement bouleversée.

👁 Hors plan

Entrées bd Montricher et bd du Jardin-Zoologique

Ⓜ Cinq-Avenues

🚋 Longchamp

# À ne pas manquer

### Le château d'eau

Plus qu'un véritable palais, c'est avant tout un château d'eau qui rappelle que Marseille a toujours manqué d'eau douce au cours de son histoire. L'architecture en exalte ainsi les bienfaits. Sur un char tiré par quatre taureaux camarguais se dressent trois statues, parmi lesquelles la Durance, aux allures de conquérante, accompagnée par les allégories de la Vigne et du Blé, symboles de fertilité.

### Le musée des Beaux-Arts

Après rénovation, le **musée des Beaux-Arts** (☏04 91 14 59 30 ; tarif plein/réduit 5/3 €, gratuit le dim matin ; ⊙mar-dim 10h-18h) a rouvert ses portes avec une exposition consacrée aux grands peintres du Midi, avant que laisser place à la collection permanente. Celle-ci forme un panorama des écoles italiennes, françaises et du Nord, du XVIe au XIXe siècle. Notez, sur la frise située sous la corniche, les noms gravés des personnages ayant marqué l'histoire des beaux-arts (Léonard de Vinci, Titien, Raphaël, etc.).

### Le Muséum d'histoire naturelle

Ce **musée** (☏04 91 14 59 50 ; www.museum-marseille. org ; tarif plein/réduit 5/3 €, gratuit dim matin ; ⊙mar-dim 10h-18h) possède des collections issues de Provence et du monde entier. Les espèces naturalisées raviront les passionnés de zoologie et les enfants. Certains spécimens occupaient le zoo du parc, comme la girafe, morte pendant l'hiver 1956.

### Le parc Longchamp et le "funny zoo"

Ce **parc** (entrée libre ; ⊙nov-fév 8h-17h30, mars-avr et sept-oct 8h-19h, mai-août 8h-20h) est un des rares espaces verts dignes de ce nom de la ville. Il abritait jusqu'en 1987 un zoo, dont il reste les cages, vides. Depuis 2013, des animaux en fibre de verre ont réinvesti les lieux dans le cadre du projet "funny zoo".

## ☑ À savoir

▶ Chaque été, les mélomanes se retrouvent dans le parc pendant le Festival jazz des cinq continents. Pendant Marsatac, Aires libres a lieu ici aussi.

▶ Des jeux d'enfants, théâtre de marionnettes et promenades à poney attendent les familles dans le parc.

▶ L'association Andromède (☏04 13 55 21 55 ; www.andromede13. info) organise tous les mercredis après-midi des visites du planétarium à l'Observatoire du plateau Longchamp (6 €).

## ✖ Une petite faim ?

Vous trouverez dans les jardins une buvette. Sachez aussi que les pique-niques y sont autorisés.

## Les incontournables
# La Friche la Belle de Mai

Elle occupe depuis plus de vingt ans les murs d'une ancienne manufacture de tabac. La Friche la Belle de Mai a pris le nom du quartier qui l'entoure. Elle abrite près de 70 structures qui témoignent de toute l'inventivité dont la ville est porteuse. Le nouveau directeur des lieux, Alain Arnaudet, travaille à fédérer l'ensemble des propositions et à donner à cet espace public plus de lisibilité et de visibilité. Et c'est passionnant de voir une structure s'inscrire comme incontournable dans le paysage culturel.

**Hors plan**

www.lafriche.org

41 rue Jobin, 3ᵉ

Expositions : tarif plein/réduit 6/3 €, mar-dim 13h-19h, ven jusqu'à 22h

M Saint-Charles (puis 15 min à pied), ligne 2 arrêt Longchamp (puis 10 min à pied).

# À ne pas manquer

### La Tour-Panorama

Conçue par l'architecte Matthieu Poitevin et inaugurée début 2013, elle ouvre de nouvelles perspectives à la Friche, dans tous les sens du terme. D'abord un espace pour les expositions d'arts visuels et contemporains, notamment avec la construction du Panorama, vaste plateau de 500 m² posé sur les anciens magasins, qui permet d'accueillir les grands formats. Ensuite avec le toit terrasse, qui offre une place publique de 7000 m² et un belvédère unique sur Marseille.

### Les week-ends Made in Friche

Une fois par mois, ce rendez-vous entend montrer, discuter, partager tout ce qui se fabrique à la Friche. Le point d'orgue étant, en mai, l'édition de "48 heures Chrono", week-end durant lequel est proposée une programmation continue de spectacles, concerts, bal, ateliers cuisine et cinéma en plein air. L'idée est de montrer qu'en fin de semaine la friche offre autant de loisirs et d'activités que la plage.

### Le Cabaret Aléatoire et le Théâtre Massalia

Parmi les structures de la Friche, le Cabaret Aléatoire (www.cabaret-aleatoire.com) se distingue par son excellente programmation musicale (funk, soul, rock, hip-hop, musiques électroniques) et son attention portée à la scène émergente. Le Théâtre Massalia (www.theatremassalia.com) fait partie de l'aventure de la Friche depuis le début. Il produit et diffuse des spectacles jeunes publics. Deux nouvelles salles ont par ailleurs été construites, dont la direction artistique est confiée à Catherine Marnas avec l'ambition d'un "théâtre savamment populaire".

## ☑ À savoir

▶ La Friche, c'est au total 120 000 m², qui comprennent aussi le Pôle médias, où sont regroupés la chaîne locale LCM et les fameux studios de la série *Plus belle la vie*.

▶ Une librairie (⏲ mar-dim 11h-19h et jusqu'à 22h le ven) a ouvert au rez-de-chaussée de la Tour-Panorama.

▶ Un marché paysan se tient ici tous les lundis, de 16h à 19h en hiver et de 17h à 20h en été.

▶ Le Skate Park est en accès libre et gratuit, tous les jours de 8h à 22h.

## ✗ Une petite faim ?

À condition de ne pas être trop pressé, Les Grandes Tables (⏲ lun-mer 8h30-20h, jeu-ven 8h30-minuit, sam 11h-minuit, dim 11h-19h) proposent une très bonne cuisine du quotidien (viandes, gratinés, mijotés, etc.) Les soirs de spectacles, les carrioles de cuisine ambulante sont souvent aussi de sortie !

## 100% marseillais
# Quartier libre à Longchamp

Cela a été l'un des effets du tramway. Mis en place en juin 2007, ce mode de déplacement doux a amorcé un changement de physionomie du quartier Longchamp, et plus loin du secteur des Cinq-Avenues. Longtemps habitée par une population assez âgée, ces quartiers ont gagné en vitalité, comme en témoignent les jeunes couples avec enfants venus en nombre s'y installer, et les bonnes adresses qui fleurissent.

**❶ Le spot incontournable**

Avec ses allures de vieux bar un peu défraîchi mais relooké, rien ne pouvait laisser présager que ce lieu allait devenir un incontournable du quartier. Le **Longchamp Palace** (☎04 91 50 76 13 ; 22 bd Longchamp, 1ᵉʳ ; ⏰lun-jeu 8h-0h30, ven-dim 8h-1h30 ; Ⓜ️Réformés) est l'un des signes du changement qui s'opère. À l'heure de l'apéro, une foule bobo s'éparpille en grappes, un verre à la main, sur le trottoir. Les clés du succès

sont aussi les bons petits plats, que l'on déguste dans le patio intérieur, la programmation musicale (tous les premiers jeudis du mois, les platines sont de sortie) et les brunchs à thème du dimanche, selon l'envie du cuisinier.

**②** **Avec les poussettes**

Une adresse pour parents et enfants, exclusivement. Sur le principe du "café-poussette", **Pouce** (☑ 09 52 73 32 21 ; 95 bd Longchamp, 1er ; ⏰ mar-sam 10h-19h ; Ⓜ Réformés) offre aux familles un lieu accueillant. La boutique réunit des vêtements de créateurs pour enfants, une petite aire de jeux, mais le vrai plus est la cour-jardin où l'on déjeune d'un plat du jour maison. Évidemment, des chaises hautes sont à disposition.

**③** **Délices sucrés**

Une jolie boutique rouge... Nous sommes ici dans l'antre du chef pâtissier Sébastien Mahier qui fait partie de ceux qui ont réinventé la pâtisserie à Marseille. La diversité des propositions est assez impressionnante. Les macarons sont aussi de la partie, et les bûches, les stars de Noël. Gourmands, succombez sans remords à la tentation ! Ce bel endroit s'appelle **Dites-Moi Tout** (☑ 04 91 62 01 73 ; 33 bd Phillipon, 4e ; ⏰ mar-sam 10h-19h30, dim 9h30-13h30 ; Ⓜ Cinq-Avenues).

**④** **Trattoria italienne**

On aime beaucoup l'**Hosteria** (☑ 04 91 64 66 28 ; 44 bd Philippon, 4e ; ⏰ mar-sam ; Ⓜ Cinq-Avenues), ce restaurant italien où la carte ne se résume pas aux pâtes fraîches (cela dit, elles sont un très bon choix) et inclut d'autres spécialités, bien cuisinées, telles que l'osso buco, l'escalope milanaise et des plats à base de poisson. Aux beaux jours, les tables sont sorties sur le boulevard. Parfait avant d'aller écouter un concert au Festival Jazz des Cinq Continents.

**⑤** **Le Royaume de la Chantilly**

En vous rendant à cette adresse, vous passerez par la place Sébastopol qui accueille tous les jours, sauf le dimanche, un marché. Vous y découvrirez un Marseille moins touristique, plus résidentiel. Et le **Royaume de la Chantilly** (☑ 04 91 34 09 16 ; 2 rue Granoux, 4e ; ⏰ lun 8h30-13h, mar-sam 8h-13h et 15h-19h30, dim 8h-13h, fermé le lun de juin à août) donc, qui depuis plusieurs générations régale les gourmands avec sa crème chantilly. Vous y trouverez également moult fromages.

# Voir

## La Canebière

ARTÈRE MYTHIQUE

◉ Plan J6

La Canebière était un peu à Marseille ce que les Champs-Élysées sont à Paris ! Cette artère mythique qui plonge dans le Vieux-Port a hélas perdu de son lustre d'autrefois, mais cherche depuis quelques années à redorer son blason. Le passage du tramway, la construction d'une université ou l'installation du commissariat central dans les murs du légendaire hôtel Noailles sont quelques-uns des récents changements. Certains attendent encore avec impatience l'installation d'un cinéma MK2, en vue de dynamiser quelque peu le quartier. Pour comprendre son nom, il faut remonter avant le XVII$^e$ siècle : à l'époque, chantiers navals et arsenaux étaient situés tout autour du Vieux-Port. Aux abords poussaient, sur des sols marécageux, des roseaux et du chanvre, *canebé* en provençal. Des conditions idéales pour les cordiers chargés de tresser les cordages pour les navires. En déplaçant les arsenaux, Louis XIV perça un axe rectiligne nécessaire à l'évolution de la pratique des cordiers. L'emplacement fut nommé tout naturellement Canebière. Au XIX$^e$ siècle, avec l'essor des colonies, cette avenue, une nouvelle fois prolongée, vivra ses heures de gloire, avec négociants, armateurs et élégantes aux terrasses des hôtels de luxe ou dans les salles de music-hall.

## Q 100% marseillais

### La belle histoire de Zarafa la Girafe

Elle a fait son apparition en haut de la Canebière en 2009, à l'occasion du festival du livre Les Bouquinades : une girafe haute de 6 mètres, faite d'une structure en métal et recouverte d'une multitude de livres de poche, et sortie de l'imagination du sculpteur-plasticien Jean-Michel Rubio pour témoigner du plaisir des livres et de la lecture. Face au succès, Zarafa est restée là, amusant les passants, adultes comme enfants. Mais l'année suivante, la victoire de l'OM au titre de champion de France a eu raison d'elle : des "supporters" l'ont tout bonnement brûlée. Les images ont provoqué l'indignation, puis une forte mobilisation, via Facebook notamment. Si bien que l'artiste s'est remis au travail : et voilà notre Zarafa, différente mais de retour sur la Canebière, accompagnée cette fois du girafon Marcel et creusée pour y déposer et échanger des livres, selon le projet de l'association Art Book Collectif. Faut-il le rappeler, la Zarafa originelle a débarqué à Marseille, en 1826, offerte par le pacha d'Égypte Méhémet Ali à Charles X. C'était la première à entrer en France.

## Comprendre

### Une "Marseillaise"... strasbourgeoise

Claude Joseph Rouget de Lisle, capitaine du génie en garnison à Strasbourg, écrivit en avril 1792 des couplets patriotiques qu'il intitula *Les Enfants de la Patrie* ou *Chant de guerre pour l'armée du Rhin*. Une affiche de la société des amis de la Constitution, appelant à la mobilisation contre l'armée des émigrés, lui en inspira le texte. Relayé par des voyageurs jusqu'à Lyon durant le mois de mai, le chant, porté par le mistral, arriva à Montpellier, où un étudiant en médecine, originaire du Var, se prit de passion pour cet hymne révolutionnaire. Il décida de le chanter le 20 juin 1792, au 25 de la rue Thubaneau (lieu à présent du Mémorial de La Marseillaise), dans le quartier de Belsunce, devant ses compagnons de bataillon, enrôlés de Provence. Comme une traînée de poudre, l'"hymne des Marseillais" gagna Paris où le bataillon se rendait. Galvanisant les troupes lors de l'insurrection du 10 août contre les gardes suisses, le chant fut spontanément baptisé *La Marseillaise* par les Parisiens ; son tour de France s'achevait dans la gloire ! Le 26 messidor de l'an III (14 juillet 1795), le chant fut proclamé hymne national.

## Palais de la Bourse et musée de la Marine et de l'Économie

MUSÉE

**146** 🎯 Plan J6

Un bâtiment imposant, de style Second Empire, dévolu au commerce. Créée en 1599, la chambre de commerce de Marseille, la plus ancienne du monde, souhaitait, au XIXe siècle, un bâtiment à la hauteur de sa puissance. Achevé en 1860, le palais, situé en bas de la Canebière, inaugurait à l'époque une vague sans précédent de constructions d'édifices publics (préfecture, palais du Pharo, palais de justice...). L'accès au rez-de-chaussée est libre. Dans l'aile droite, le **musée** permet, à travers maquettes, peintures et affiches anciennes, une intéressante plongée dans l'histoire économique, commerciale et maritime de la ville. La dernière salle est consacrée à l'évolution des techniques sous-marines. (📞 04 91 39 33 33 ; 9 la Canebière, 1er ; 2/1 € ; 🕐 tlj 10h-18h ; **M** Vieux-Port)

## Mémorial de la Marseillaise

HISTOIRE

**147** 🎯 Plan K5

En plein cœur de Belsunce, c'est au 25 de la rue Thubaneau que résonna pour la première fois *La Marseillaise*. Un mémorial y a été inauguré en 2011, bien visible depuis la rue avec sa façade aux airs brûlés et l'immense drapeau français en tôle laqué qui se déploie. Après le porche, on traverse une jolie cour intérieure pour visiter les lieux. Les différentes interprétations de l'hymne

☑️ Bon plan

**La Belle de Mai en Proxi-Pousse**

Une façon originale mais surtout instructive de découvrir le quartier de la Belle de Mai : les balades en "pousse-pousse" à assistance électrique proposées par l'équipe de **Proxi-Pousse** (📞 06 26 51 66 12 ou 07 60 93 23 10 ; www.proxipousse. com ; 30 €/h pour un pousse-pousse pour 2 personnes ; ⌚mar-sam 10h-19h). Il est même possible de réserver son trajet pour se rendre à la Friche la Belle de Mai ! Sachez que d'autres balades sont proposées, notamment une dans le Panier.

national n'auront plus de secrets pour vous ! L'exposition aborde également la ville de Marseille sous la Révolution. Un jeu-guide, sous forme de carnet de citoyen, est remis aux enfants. (📞 04 91 91 91 97 ; www.memorial-marseillaise.com ; 23-25 rue Thubaneau, 1er ; tarif plein/réduit 7/5 €, gratuit pour les - de 6 ans ; ⌚fév à mi-juin et mi-sept à fin déc mar-dim 14h-18h, mi-juin à mi-sept lun 10h-18h, mar-dim 10h-18h ; Ⓜ Noailles)

## Bibliothèque de l'Alcazar
ÉQUIPEMENT CULTUREL

148 ◎ Plan K4

Une magnifique bibliothèque en lieu et place du music-hall du même nom, où Yves Montand, notamment, fit ses débuts (la façade d'origine a été conservée). Ce dernier raconta d'ailleurs une anecdote qui donne une idée de l'ambiance qui y régnait alors : lors de la prestation pitoyable d'un chanteur doté d'un filet de voix jugé trop faible, on entendit du poulailler : "Taisez-vous ! On n'entend pas le mime !" Même si les encyclopédies ne vous passionnent pas, n'hésitez pas à entrer pour admirer la transparence et la luminosité du

bâtiment, qui s'étend sur trois niveaux. (📞 04 91 55 90 00 ; 58 cours Belsunce, 1er ; ⌚mar-sam 11h-19h ; Ⓜ Noailles ou Colbert)

## Porte d'Aix
ARC DE TRIOMPHE

149 ◎ Plan J3

Marseille aussi a son arc de triomphe, construit entre 1825 et 1833 ! Certes moins prestigieux que celui de Paris, il marque l'entrée nord de la ville. Son ornementation très stylisée, à la gloire de la République et de l'Empire, vaut le coup d'œil. La porte d'Aix forme un alignement parfait avec la place Castellane, deux kilomètres plus au sud. Les travaux de recul de l'autoroute A7 entendent redonner un peu d'attractivité à ce quartier, longtemps délaissé.

## Musée Grobet-Labadié
COLLECTIONS PARTICULIÈRES

◎ Hors plan

Ce bel hôtel particulier du XIXe siècle abrite les riches collections d'une famille de notables marseillais, grands amateurs d'art. Malgré l'intérêt des objets exposés dans une douzaine de moules et de langoustines à la fraîcheur irréprochable. Les plateaux sont à consommer dans l'élégant restaurant, ou à emporter à l'étalage (et même à commander sur Internet). (☎ 04 91 54 08 79 ; 18 cours Saint-Louis, 1ᵉʳ ; ⏱ tlj ; Ⓜ Noailles)

### Saf-Saf (Chez Erouel) ORIENTAL €

151  Plan L5

Un couscous à des prix défiant toute concurrence ! En plein cœur de Belsunce, voici une sympathique adresse toute simple (grillades, tajines, chorba, bricks...) d'où l'on sort repu et heureux. Le restaurant ne sert pas d'alcool. (☎ 04 91 91 58 79 , 29 rue Vincent-Scotto, 1ᵉʳ ; ⏱ fermé ven ; Ⓜ Noailles)

### Le Grain de Sable CUISINE BIO €

152 Plan K4

Dans l'assiette, des produits frais et bio, accommodés avec beaucoup d'originalité. Les propositions varient chaque semaine en incluant à chaque fois un velouté, une tartine de campagne, un œuf cocotte ainsi que des desserts maison. L'accueil est aux petits soins et l'intérieur des plus chaleureux. Tous les jeudis, soirées musique à partir de 20h autour d'un concert (jazz le premier jeudi du mois, puis oriental, éclectique et musique roots de Guinée avec Sayon Bamba) et d'un plat unique : une viande cuisinée à la bière artisanale. (☎ 04 91 90 39 51 ; 34 rue du Baignoir, 1ᵉʳ ; ⏱ lun-ven midi-14h30 ; Ⓜ Noailles ou Colbert)

La porte d'Aix, l'arc de triomphe de Marseille

de pièces, vous risquez d'être un peu écrasé par le foisonnement de sculptures, de dessins, de mobilier et de faïences du XIIIᵉ au XVIIIᵉ siècle, acquis auprès d'antiquaires marseillais, mais aussi lors de voyages en Provence, à Paris, en Italie, en Espagne et en Flandres. Le lieu réjouira avant tout les amateurs éclairés. (☎ 04 91 62 21 82 ; 140 bd Longchamp, 1ᵉʳ ; 5/3 € ; ⏱ mar-dim 10h-18h ; Ⓜ Cinq Avenues, 🚊 arrêt Longchamp)

## Se restaurer

### Toinou FRUITS DE MER €€€

150  Plan K6

Depuis plus de 40 ans, cet écailler régale ses clients d'huîtres, de bulots,

## Le Comptoir Dugommier

BISTROT €€

**153**  Plan L5

Un bistrot rétro relooké avec beaucoup de goût, où l'on sert, avec le sourire, des plats savoureux qui changent tous les jours et des desserts à tomber (mousse au chocolat et Earl Grey, crème brûlée au gingembre). Dommage qu'il n'ouvre que le midi. (📞04 91 62 21 21 ; 14 bd Dugommier, 1er ; 🕐lun-ven 8h-15h ; Ⓜ Noailles)

## Green Bear Coffee

SNACK BIO €

**154** Plan M5

Autant leurs plats du jour, soupes, tartes salées et autres veggie burger, préparés à base de produits bio, nous plaisaient, autant le cadre de la première adresse près de l'Opéra (17 rue Glandevès) nous plaisait moins. Cette fois, le lieu a du caractère, avec moulures aux murs, parquets et cheminée ! N'hésitez pas à craquer pour les muffins, ils sont délicieux. Wi-Fi gratuit. (📞04 91 95 84 62 ; 123 la Canebière, 1er ; 🕐lun-ven 11h-17h ; Ⓜ Réformés)

## Chez Noël

PIZZERIA €

**155** Plan N5

Sans doute l'une des meilleures pizzerias de la ville, le tout à la bonne franquette. Les pizzas sont fondantes et pas si chères si vous acceptez de les partager (pas d'angoisse, elles sont vraiment copieuses !). Le pizzaïolo, un vieux de la vieille, a vu défiler du beau monde et a toujours une anecdote à raconter ! (📞04 91 42 17 22 ; 174 la Canebière, 1er ; 🕐mar-dim midi et soir, ouvert uniquement le soir en août ; Ⓜ Réformés)

## Les Danaïdes

BRASSERIE €

**156** Plan N5

Une brasserie incontournable pour ses petits plats et sa terrasse. Aux beaux jours, on sert sous les arbres, à côté d'une fontaine, de grandes assiettes à thème ou de savoureux plats du jour. L'hiver, on se réfugie dans la grande salle, sur de confortables banquettes, aux côtés des joueurs d'échecs. Bon à savoir, car cela est rare à Marseille : le service de midi se fait jusqu'à 16 heures. (📞04 91 62 28 51 ; 6 square Stalingrad, 1er ; 🕐lun-sam 7h30-22h30, restauration de 12h à 16h ; Ⓜ Réformés)

☑️ Bon plan

### La Boutique du Glacier

La devanture, face au manège du bas de la Canebière, reste discrète. N'hésitez pas cependant à pousser la porte de cette boutique (📞04 91 33 76 93 ; 1 pl. Général-de-Gaulle, 1er ; 🕐lun-sam 7h45-19h15, dim 7h45-13h et 15h30-19h15 ; Ⓜ Vieux-Port) qui n'offre pas tant des glaces que des pâtisseries très recommandables ! C'est également ici que nous avons trouvé, à notre sens, les meilleurs croissants de Marseille. Le beurre d'Isigny n'y est sans doute pas étranger. On peut les prendre au comptoir, sur votre droite à emporter, ou dans la petite salle à l'arrière, un brin désuète.

La terrasse des Danaïdes, incontournable en été

## La Boîte
## à Sardine POISSONNERIE-RESTAURANT €€

157 ✖ Plan O5

Une poissonnerie qui se transforme
en resto tous les midis ! Les produits
sont on ne peut plus frais et l'ambiance,
bon enfant. La carte change au gré des
jours et de la pêche. (☎04 91 50 95 95 ;
7 bd de la Libération, 1ᵉʳ ; ☺mar-sam 12h-15h ;
Ⓜ Réformés)

## Le Débouché RESTO-CAVE À VINS

158 ✖ Plan O4

Une adresse un peu isolée mais qui
fonctionne à merveille. Le patron
reçoit avec beaucoup de bonheur et
ça se voit ! Plus de 120 références
rigoureusement sélectionnées, avec

une nette préférence pour les petits
producteurs. À midi, on déguste de
bons petits plats. Le vendredi soir,
c'est fromage-charcuterie. (☎04 91 50
96 25 ; 3 bd National, 1ᵉʳ ; ☺lun-jeu 9h-17h,
ven jusqu'à minuit ; Ⓜ Réformés)

## Prendre un verre

### Le Petit
### Longchamp BAR À VINS, BISTROT

🚊 Hors plan

Un bistrot gastronomique lancé
par le patron de La Part des Anges
(p. 41). Entre briques rouges et grande
ardoise, le lieu allie cuisine du marché
à midi et tapas sophistiquées le soir.
De nombreux vins sont servis au verre

à des prix raisonnables. ($\square$ 04 86 12 54 05 ; 135 rue Consolat, 1$^{er}$ ; $\odot$ lun-ven midi, apéros repas mar-sam ; $\boxed{M}$ Réformés)

# Sortir

## Les Variétés
CINÉMA

159 ⭐ Plan L5

Autrefois un théâtre puis un cinéma porno, et aujourd'hui le cinéma d'art et d'essai de la Canebière (le même propriétaire que le César, sur la place Castellane). Même s'ils mériteraient une rénovation (le chauffage est souvent faiblard en hiver), les lieux sont agréables et disposent d'un espace bar et exposition. ($\square$ 04 96 11 61 62 ; 37 rue Vincent-Scotto, 1$^{er}$ ; $\boxed{M}$ Noailles)

## Le New Cancan
GAY

160 ⭐ Plan M5

Une institution marseillaise de la vie nocturne gay, appréciée pour ses spectacles-cabarets et ses soirées à thème. ($\square$ 04 91 48 59 76 ; www.newcancan. com ; 3 rue Sénac, 1$^{er}$ ; $\odot$ ven-dim ; $\boxed{M}$ Noailles ou Réformés)

## La Mesón
CONCERTS

161 ⭐ Plan O4

Pour amateurs de flamenco, de jazz et de musiques du monde, dans un esprit très famille. La Mesón, c'est aussi un endroit où l'on va voir du théâtre, de la danse et des films. Les artistes, pour certains en résidence, viennent y répéter. On peut aussi y grignoter les

soirs de concert. ($\square$ 04 91 50 11 61 ; www. lameson.com ; 52 rue Consolat, 1$^{er}$ ; $\boxed{M}$ Réformés)

## L'Embobineuse
CONCERTS

⭐ Hors plan

Attachez vos ceintures, ça va décoiffer ! Une scène très alternative, où règne en maître le "noise-trash-délire-punk". Il arrive même que certains habitués garent directement leur voiture au pied de la scène... Pour le décor, des rideaux rouges, un damier noir et blanc et un jardin pour les soirées "Barbecue-DJ". ($\square$ 04 91 50 66 09 ; www.lembobineuse.biz ; 11 bd Boués, 3$^{e}$ ; $\boxed{M}$ National)

## Théâtre du Gyptis
THÉÂTRE

⭐ Hors plan

Installé dans un ancien cinéma, ce lieu est avant tout axé sur la création autour d'œuvres classiques et contemporaines. ($\square$ 04 91 11 00 91 ; www.theatregyptis.com ; 136 rue Loubon, 3$^{e}$ ; $\boxed{M}$ Désirée-Clary ou National)

## Théâtre de l'Odéon
THÉÂTRE

162 ⭐ Plan N5

Cette célèbre salle du haut de la Canebière a récemment été rénovée. L'opérette et le théâtre de boulevard sont sa marque de fabrique. ($\square$ 04 96 12 52 70 ; 162 la Canebière, 1$^{er}$ ; $\boxed{M}$ Réformés)

## Théâtre Toursky
THÉÂTRE

⭐ Hors plan

Implanté dans un quartier populaire, ce théâtre poursuit la belle idée de rendre la culture ouverte à tous. Festival russe chaque année au mois

de mars. (📞04 91 58 54 54 ; www.toursky.
org ; 16 passage Léo-Ferré, 3ᵉ ; Ⓜ National)

### Klap, Maison pour la Danse
DANSE

 Hors plan

Le chorégraphe Michel Kelemenis veille
sur ce beau lieu entièrement dédié à
la danse, dans le quartier de Saint-
Mauront. Le public est régulièrement
convié dans les studios pour découvrir
les créations en cours et lors des
rendez-vous "Question de Danse" et
"Plus de Danse à Marseille". (📞04 96
11 11 20 ; www.kelemenis.fr ; 5 av. Rostand, 3ᵉ ;
Ⓜ National)

## Shopping

### Torréfaction Noailles
CAFÉ

163 Plan L6

Les amateurs de café se rendront sans
hésiter chez ce torréfacteur, à l'allure
savamment désuète et aux fragrances
envoûtantes. Il existe plusieurs
boutiques à Marseille. (📞04 91 55 60 66 ;
56 la Canebière, 1ᵉʳ ; lun-sam 7h-19h30 ;
Ⓜ Noailles)

### La Rose de Tunis
PÂTISSERIE

164 Plan K6

Une délicieuse pâtisserie où makrouts,
cornes de gazelle et autres baklavas
rivalisent de finesse. (📞04 91 52 89 14 ;
5 rue Pavillon, 1ᵉʳ ; lun-sam 9h-20h30, dim
10h-16h ; Ⓜ Noailles)

### Tom – tailleur Rasta
MODE

165 Plan L3

Dans un joyeux capharnaüm coloré,
Tom, le philosophe rasta, réalisera
les tenues de vos rêves. À condition
de patienter : la liste d'attente se fait
longue. (📞04 91 90 75 16 ; 22 rue des
Petites-Maries, 1ᵉʳ ; lun-sam ; Ⓜ Saint-
Charles)

### Mary-Jane
BIJOUX FANTAISIE

166 Plan K5

Le temple des bijoux fantaisie ! C'est
toujours bondé, et pour cause : si
vous avez le courage de fouiller et de
fouiner, vous ferez ici de très bonnes
affaires. Pour l'anecdote, on prononce
Marie-Jeanne, à la française. (📞04 91
90 15 50 ; 27 rue du Tapis-Vert, 1ᵉʳ ; lun-sam
9h30-18h30 ; Ⓜ Noailles)

### Zoé la Fée Circus
CONCEPT STORE

167 Plan K5

La créatrice Zoé la Fée a ouvert cette
boutique à deux pas du Mémorial de
la Marseillaise. Elle y réunit ses jolis
vêtements colorés, dont des modèles
pour enfants, et d'autres marques de
son choix (Manon Martin, Corazón de
Melón, etc.). Dans la cour intérieure,
sont installées quelques tables qui, le
midi, accueillent la bonne cantine de
l'équipe de la "gamelle de ta mère"
(📞06 18 69 85 57). Pensez à réserver.
(📞04 91 19 37 81 ; 17-19 rue Thubaneau, 1ᵉʳ ;
mar-sam 11h-19h, cantine de 12h à 14h30 ;
Ⓜ Noailles)

**Explorer**

# La Corniche, Endoume et Notre-Dame-de-la-Garde

Si chère au cœur de tous les Marseillais et point le plus haut de la ville, Notre-Dame-de-la-Garde constitue un repère incontournable. De là, on peut voir les collines d'Endoume et de Bompard et leur lacis de ruelles dévalant vers la Corniche. Nous sommes ici dans le "Marseille-sur-mer" des villas bourgeoises, des cabanons, des pointes rocheuses et des criques secrètes, avec une ouverture exceptionnelle sur l'horizon marin.

# L'essentiel en un jour

☼ Levez-vous tôt pour découvrir la "**Bonne Mère"** (p. 104). Vous y trouverez non seulement moins de monde, mais surtout une lumière idoine. Prenez le temps de regarder la centaine d'ex-voto, de visiter le nouveau musée et de profiter du panorama. La descente se fait très facilement à pied et permet de découvrir un autre visage – calme ! – de Marseille. Mettez ensuite le cap sur le **Pharo** (p. 108), qui offre un magnifique point de vue sur Notre-Dame-de-la-Garde, le Vieux-Port et le MuCEM.

☼ Allez déjeuner aux **Akolytes** (p. 109) de délicieuses tapas à partager, aux proportions dignes d'un plat. La **plage des Catalans** (p. 108) vous tend les bras, pour une sieste sur le sable. Remontez la corniche Kennedy, continuez jusque vers **Malmousque** (p. 106) où vous pourrez trouver de tranquilles rochers où vous baigner.

☾ Pour l'apéro, faites comme de nombreux Marseillais : ravitaillez-vous dans une supérette avant de vous installer sur la **plage du Prophète** (p. 109) et de profiter du coucher du soleil. Bien vous a pris de réserver une table au **Vallon des Auffes** (p. 108). Après avoir dîné d'une pizza **Chez Jeannot** (p. 110), d'une bouillabaisse **Chez Fonfon** (p. 110) ou fait une folie à **L'Épuisette** (p. 110), resto étoilé, promenez-vous dans ce cadre ô combien romantique.

## 👁 Les incontournables

Notre-Dame-de-la-Garde (p. 104)

## 🔍 100% marseillais

Les secrets de Malmousque (p. 106)

## ♥ Le meilleur du quartier

**Bouillabaisses**

L'Épuisette (p. 110)

Chez Michel (p. 110)

Chez Fonfon (p. 110)

**Plages**

Plage des Catalans (p. 108)

Plage du Prophète (p. 109)

## Comment y aller

🚌 **Bus** Notre-Dame-de-la-Garde : bus n°60 ; Pharo : bus n°81 et 82 ; Catalans : bus n°54 et 81 ; Endoume : bus n°80 et 61 ; Corniche : bus n°83

## Les incontournables
# Notre-Dame-de-la-Garde

Emblème de la ville et haut lieu touristique, Notre-Dame-de-la-Garde est perchée à 162 mètres, sur le plus haut point de la ville. La basilique, affectueusement surnommée la "Bonne Mère", possède, selon la légende, une aura protectrice qui enveloppe la ville. On suppose que la colline de la Garde servait déjà de poste de vigie à l'époque romaine. Elle devint dès le XIIIe siècle un lieu de pèlerinage avec la construction de la première chapelle. Complétée d'un fort sous François Ier, elle ne prit sa forme actuelle qu'à la fin du XIXe siècle (1852-1880).

Plan E12

www.notredamedelagarde.com

Rue Fort-du-Sanctuaire, 6e

oct-mars 7h-18h15, avr-sept 7h-19h15

Bus n° 60 ou Petit train (voir p. 45) : tous deux partant du Vieux-Port.

Ex-voto à Notre-Dame-de-la-Garde

# À ne pas manquer

### Le Panorama
Le parvis offre une vue à 360° sur la ville et la mer. Le panorama, unique, est extraordinaire, surtout au lever et au coucher du soleil. Du haut de la colline, on saisit son emplacement stratégique, qui permettait à la fois de surveiller l'arrivée de navires de marchandises et de prévenir les dangers.

### L'église haute et la crypte
Notez la polychromie des matériaux de construction, calcaire et granite vert. Construite par l'architecte Henri Espérandieu, la basilique se compose de deux éléments très distincts : la crypte et l'église haute, la première de style roman, la seconde de style romano-byzantin. Creusée dans le roc, volontairement très dépouillée, basse et sombre, la crypte est dévolue au recueillement. Le contraste avec l'église haute est saisissant. Là, il s'agit cette fois de célébrer la gloire de la Vierge, d'où l'éblouissante exubérance décorative qui caractérise l'intérieur (mosaïques, colonnettes, portes en bronze, autels ornés de lapis-lazuli).

### Les ex-voto
La basilique renferme plusieurs centaines d'ex-voto. Des navires pris dans la tempête, des petits bateaux, des mots gravés sur une plaque : beaucoup témoignent du passé maritime de Marseille.

### Le musée
Le nouveau musée raconte l'histoire du site depuis 1214, date à laquelle un prêtre de Marseille eut l'idée de faire construire une toute petite chapelle dédiée à la Vierge Marie au sommet d'une colline proche de la mer. L'architecture de la basilique y est aussi expliquée, et d'anciens ex-voto et statuaires, sortis des réserves, sont exposés.

## ☑ À savoir

▶ L'église et l'armée ont cohabité sur la colline jusqu'en 1941. Les visiteurs qui montent au sanctuaire par les escaliers extérieurs franchissent toujours le pont-levis édifié en 1879 et encore relevé tous les soirs.

▶ De 1892 à 1974, un funiculaire permettait de gravir les derniers mètres. La voiture a eu raison de lui.

▶ La crypte est désormais accessible par un ascenseur, pour les personnes à mobilité réduite.

▶ En 2014, seront célébrés les 800 ans du sanctuaire de la Garde.

## ✖ Une petite faim ?

Vous trouverez une cafétéria (☺8h-17h30) sur place. Pour un lieu moins touristique, préférez le cadre du Chalet du Jardin (☎06 85 97 87 40 ; 2 rue Vauvenargues, 7e ; ☺hiver midi mar-dim, soir ven-sam, été tlj), dans le jardin Pierre Puget.

# 100% marseillais
# Les secrets de Malmousque

Environ 300 mètres après le vallon des Auffes, la Corniche s'éloigne un instant du bord de mer et délimite ainsi la presqu'île de Malmousque. Prenez le temps d'y descendre et de flâner dans le lacis de venelles pour humer cette ambiance si particulière. L'habitat se résume à un enchevêtrement charmant de villas et de cabanons. Le littoral est tailladé de petites anses qui offrent au privilégié qui les découvre l'assurance d'un dépaysement total.

**1 Quelques victuailles dans la besace**

Une fois à lézarder sur les rochers, vous regretterez sans doute de ne pas avoir emporté avec vous quelques douceurs. Nous vous conseillons ainsi une étape à **La Vague Gourmande** (📞 04 91 52 03 73 ; 209 corniche Kennedy), qui a l'avantage d'être ouverte tous les jours et, selon l'heure et les envies, de proposer salades à emporter, quiches, viennoiseries, entre autres.

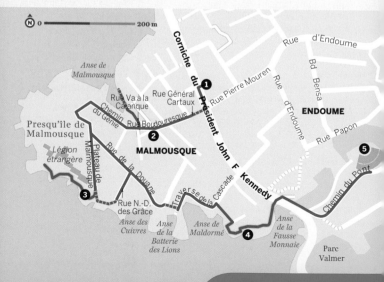

Les pâtisseries miniatures sont très pratiques pour un pique-nique. Et si vous n'avez pas encore goûté une pompe à l'huile, c'est le moment.

## ❷ Le port de Malmousque

Traversez la rue, pour vous trouver du bon côté de la corniche. Au niveau de la pharmacie, descendez la volée de marches qui vous mènera rue Général-Cartaux et, dans la continuité, rue Boudouresque. L'âme de Malmousque commence ici à se faire sentir. À un croisement, vous apercevrez le **Sunlight Social Club** (29 rue Boudouresque), qui ouvre généralement ses portes à l'heure de l'apéro, vers 18h. Notez l'adresse pour revenir y savourer des rhums arrangés. Une peu plus loin sur la droite, prenez la "rue Va-à-la-Calanque", cela ne s'invente pas. Vous atteindrez le délicieux **port de Malmousque** avec ses barquettes traditionnelles. Un étroit chemin sur la droite mène à des rochers, d'où l'on plonge sans vergogne.

## ❸ Sentier du littoral

Revenez sur vos pas jusqu'au chemin du Génie (prolongation de la rue Boudouresque), que vous prendrez sur la droite, et qui à un moment ménage une vue en hauteur sur le port de Malmousque. Vous parviendrez sur le plateau éponyme. Longez les grilles pour atteindre le morceau de **sentier du littoral** qui a été aménagé en contrebas des bâtiments de la Légion étrangère (il n'est pas rare, en toutes saisons, de voir des légionnaires sortir d'une séance de natation). Des escaliers

permettent de descendre se baigner et des bancs de profiter de la vue sur les îlots en face, dont celui de Degaby, où un fortin peut se louer pour des soirées exceptionnelles. L'esplanade est aussi le lieu de soirées improvisées entre amis et, parfois, de bals de tango.

## ❹ Les Pierres Plates

La rue Notre-Dame-des-Grâces vous amène rue de la Douane, d'où des escaliers partent vers l'anse des Cuivres et celle de la Batterie des Lions. Empruntez la traversée de la Cascade pour trouver les **Pierres Plates** en contrebas du célèbre restaurant **Le Petit Nice** (p. 111). Vous pourrez profiter de la même vue ! L'**anse de la Fausse Monnaie** est surplombée d'un viaduc. L'ensemble donne une bonne idée de la topographie qui a inspiré à Maylis de Kerangal le superbe *Corniche Kennedy*.

## ❺ Théâtre Silvain

Au fond du vallon de la Fausse Monnaie, accessible par le chemin du pont, se love dans un cadre naturel le **Théâtre Silvain** (☎ 04 96 20 62 06 ; chemin du Pont-de-la-Fausse-Monnaie, 7ᵉ ; ☺ ouvert à partir de 19h30 lors des spectacles), qui donne lieu en été à une programmation de concerts et de cinéma en plein air. À ne pas manquer si vous y êtes à ce moment-là. Une buvette vous y attend mais les pique-niques sont aussi bienvenus. Autrement, on terminera la journée avec plaisir à **L'Eau à la Bouche** (☎ 04 91 52 16 16 , 120 corniche Kennedy, 7ᵉ ; ☺ mer-dim), l'une des meilleures pizzerias de Marseille.

# Voir

## Palais du Pharo JARDIN ET MONUMENT

**168** 👁 Plan A5

Magistralement situé sur le piton rocheux à l'embouchure du Vieux-Port, le Pharo offre une vue magistrale sur le centre-ville, les forts entourant le port, le MuCEM, les infrastructures portuaires et, jusque dans le lointain, sur la Côte Bleue. Cette imposante construction veille sur le bon déroulement des allées et venues des bateaux depuis bientôt 150 ans. Issu d'un désir de Napoléon III de posséder un pied-à-terre à Marseille, le bâtiment, copiant le palais de Biarritz appartenant à l'impératrice, ne fut achevé qu'au bout de 18 ans, en 1870. L'Empire était déjà tombé et le couple n'habita donc jamais le Pharo, qui ne fut pas meublé. Le palais hébergea un temps la faculté de médecine et, depuis les années 1980, un palais de congrès. Il ne se visite pas mais vous pourrez profiter des jardins. Une buvette y est installée, un bon plan pour prendre un café en profitant de la vue. (58 bd Charles-Livon, 7ᵉ ; bus n° 81, 82 et 83 ; 🕐 tlj 8h-21h)

## Anse des Catalans PLAGE

👁 Hors plan

Cette belle plage de sable fin, située à une quinzaine de minutes du Vieux-Port, est la première de celles qui égrènent la Corniche. Rendue il y a quelques années seulement aux Marseillais, grâce à l'application de la loi Littoral, la baignade y est surveillée en été, et vous y trouverez snack-bar et sanitaires. De grandes rencontres de beach-volley s'y déroulent régulièrement. Le sélect Cercle des nageurs de Marseille surplombe la minuscule baie. (🕐 été 8h30-20h, hors saison ferme à 17h30 ou 18h30 ; bus n° 81)

## Vallon des Auffes PORT MINIATURE

👁 Hors plan

Cette version miniature d'un port de pêche hors du temps, où dodelinent les pointus colorés (barques locales), amarrés à des quais minuscules, avec des cabanons agrippés en désordre aux rochers, offre la vision d'une carte postale grandeur nature. En vous faufilant sous le viaduc, vous découvrirez une piscine naturelle où plus d'un Marseillais a fait ses premières brasses. D'excellents restaurants, pour toutes les bourses, se sont implantés dans ce décor de poupée. Au-dessus, sur la Corniche, l'imposante porte de l'Armée d'Orient semble surveiller les allées et venues des ferries.

## Marégraphe OBSERVATOIRE

👁 Hors plan

Après plusieurs virages offrant des points de vue admirables sur la rade, vous croiserez, côté mer, un bâtiment étrange. Celui-ci renferme le Marégraphe, construit en 1884 pour mesurer le niveau de la mer et établir ainsi une altitude "0" de référence pour l'ensemble du relief français. Un appareil numérique a pris le relais, mais l'ancien fonctionne toujours. Se visite avec l'office du tourisme. (174 corniche Kennedy, 7ᵉ ; bus n°83)

### Parc Valmer JARDIN

 Hors plan

Juste au-dessus du Marégraphe, n'hésitez pas à faire un petit détour pour parcourir les allées exotiques de ce bijou horticole, écrin de la luxueuse villa Valmer, bastide d'un riche négociant du XIXᵉ siècle. Symbole de l'opulence affichée à cette époque, cette portion de corniche fraîchement percée a permis à la bourgeoisie d'alors, au faîte de sa prospérité, d'étaler sa réussite en construisant une succession d'orgueilleuses demeures. Le parc réserve une très belle vue sur la corniche. (271 corniche Kennedy ; ☺nov-fév 8h-17h30, mars-avr et sept-oct 8h-19h, mai-août 8h-19h ; bus n°83)

### Plage du Prophète PLAGE

 Hors plan

Après l'anse de l'Oriol, cette plage surveillée en été étire son sable fin dans une boucle de la Corniche. Rassurez-vous, il s'agit non pas d'un épisode biblique que vous auriez oublié, mais du nom du cheval de course qui fit la fortune du créateur de ce banc de sable. Plusieurs activités nautiques sont proposées, dont la voile, le canoë et la planche à voile, ainsi que le volley et le tennis de table. Les Marseillais se retrouvent régulièrement sur cette lagune les soirs d'été pour un pique-nique ou un bain de minuit. (bus n°83)

BASILE VAILLANT©

Plage du Prophète

## Se restaurer

### Les Trois Forts GASTRONOMIQUE €€€€

169 Plan B7

De quoi vous en mettre plein les yeux et les papilles ! Vue imprenable sur le port et déco façon voilier. La cuisine, d'inspiration provençale, déborde d'inventivité et le talent du chef, Dominique Frérard, n'est plus à prouver. Du grand art, mais pas à la portée de toutes les bourses. (☎04 91 15 59 56 ; 36 bd Charles-Livon, 7ᵉ ; ☺tlj midi et soir)

### Les Akolytes TAPAS CRÉATIVES €€

Hors plan

Un resto de tapas aux recettes copieuses, originales et raffinées ! Dans une déco épurée de style 1970 (le mur végétal est une réussite), face aux Catalans, vous partagerez une daube de biche aux notes de chocolat et d'orange ou une pastilla de petit cochon à l'orientale. (☎04 91 59 17 10 ; 41 rue Papety, 7ᵉ ; plats 8-10 € ; ☺fermé dim soir)

☑ Bon plan

## Brunchs avec vue

Marre des brunchs insipides ? Trois restauratrices qui se font appeler les "mamies bruncheuses" prennent possession les samedis et dimanches du resto **Les Akolytes** (p. 109) pour concocter une formule à 20 €. Le chocolat chaud est à l'ancienne, les brioches maison, et le salé final plus qu'une simple note (lors de notre passage nous avons eu droit à un petit burger au foie gras). Et la vue, bien sûr, sur les Catalans. Chez **Gilbert et les Rameurs** (📞04 91 90 07 78 ; 3 bd Charles-Livon, 7ᵉ), au-dessus du Rowing Club, on brunche le dimanche (15-20 €) en bénéficiant d'une vue magnifique sur le Vieux-Port.

### Chez Michel
TRADITIONNEL €€€€

🍴 Hors plan

Depuis 1946, la famille Michel concocte une cuisine traditionnelle à base de poisson. Sa bouillabaisse (65 €) reste une valeur sûre. (📞04 91 52 30 63 ; 6 rue des Catalans, 7ᵉ ; ⏰tlj)

### Peron
GASTRONOMIQUE €€€€

🍴 Hors plan

Plancher en teck pour la terrasse, teintes crème et brune pour l'intérieur : la déco et la vue sont irréprochables. Côté cuisine, beaucoup de raffinement mais des prix un peu excessifs. (📞04 91 52 15 22 ; 56 corniche J.-F.-Kennedy, 7ᵉ ; ⏰tlj)

### Chez Jeannot
PIZZAS ET COQUILLAGES €€

🍴 Hors plan

Pizzas, coquillages ou entrecôte au feu de bois vous seront servis sans chichis dans un décor de carte postale. Réservation hautement conseillée en saison. (📞04 91 52 11 28 ; 129 vallon des Auffes, 7ᵉ ; ⏰avr-août tlj, sept-mars fermé dim soir et lun)

### L'Épuisette
MÉDITERRANÉEN €€€€

🍴 Hors plan

Le cadre raffiné, les îles du Frioul en toile de fond et un chef formé chez Troisgros font de cette adresse une grande table, auréolée d'une étoile au Michelin. Les langoustes ne peuvent être que d'une extrême fraîcheur, puisqu'elles proviennent du vivier creusé dans la roche sous la salle du restaurant ! (📞04 91 52 17 82 ; 156 rue du Vallon-des-Auffes, 7ᵉ ; ⏰mar-sam, fermé août)

### Chez Fonfon
BOUILLABAISSE €€€

🍴 Hors plan

Une institution pour sa bouillabaisse, au bon rapport qualité/prix (47 €). Ici, on vous sort le grand jeu et le service est à la hauteur du paysage en Technicolor que l'on a devant les yeux. (📞04 91 52 14 38 ; 140 rue du Vallon-des-Auffes, 7ᵉ ; ⏰haute saison fermé dim et lun midi, basse saison fermé dim-lun)

## Le Petit Nice-Passédat GASTRONOMIQUE €€€€

 Hors plan

Tel un bateau amarré aux rochers de Malmousque, une table prestigieuse pour une cuisine méditerranéenne inventive. On ne présente d'ailleurs plus le chef, Gérald Passédat, qui a offert à Marseille, en 2008, sa première troisième étoile. (☎ 04 91 59 25 92 ; anse de Maldormé, 7ᵉ ; ⊗ fermé dim-lun)

## Zia Concetta ÉPICERIE ITALIENNE €€

 Hors plan

Bien connue des habitants d'Endoume, cette épicerie italienne a ouvert cette adresse face à la mer, un peu avant la plage du Prophète dans la descente du vallon de l'Oriol. On peut y déguster pâtes fraîches, assiettes d'antipasti et autres mets, le tout au soleil et accompagnés de vins italiens. (☎ 06 36 82 12 52 ; 315 corniche Kennedy, 7ᵉ ; ⊗ tlj le midi, le soir sur réservation)

# Prendre un verre

## Victor Café BAR D'HÔTEL

171  Plan A7

Ce n'est pas vraiment très courant à Marseille de prendre un verre au bar d'un hôtel. Pourtant, ce bar du New Hotel of Marseille, près du Pharo, propose une ambiance intérieure lounge et moderne, et une terrasse en teck avec vue sur la piscine (réservée, elle, aux clients). (☎ 04 91 99 22 22 ; 2 rue des Flots-Bleus, 7ᵉ ; ⊗ tlj)

## Le Baron Perché BAR-RESTAURANT

171 Plan A10

L'une des seules adresses d'Endoume, qui retient l'attention pour son patio intérieur et son bar avec des jeux anciens. Les antipasti conviennent très bien pour les apéros dînatoires. (☎ 09 51 24 89 52 ; 45 rue Châteaubriand, 7ᵉ ; ⊗ fermé dim soir et lun)

## Le Bistrot Plage BAR-RESTAURANT

Hors plan

Une avant-boîte pour un before dans un cadre exceptionnel. L'accès se fait par un petit escalier qui descend à pic vers la mer. La terrasse offre une vue féerique sur les ferries qui passent au loin. L'ambiance n'est pas des plus sélectes même si l'on vient ici avant tout pour se montrer. Évitez le restaurant, très cher pour ce qu'il offre. (☎ 04 91 31 80 32 ; 60 corniche J.-F.-Kennedy, 7ᵉ ; ⊗ tlj jusqu'à 2h)

## Le Petit Pavillon ÉTABLISSEMENT DE BAIN

Hors plan

Régulièrement menacé par la loi Littoral, cet ancien établissement de bain est investi l'été par les apéros de Radio Grenouille, le vendredi soir. (☎ 04 91 31 00 38 ; 54 corniche Kennedy, 7ᵉ ; ⊗ ouvert en haute saison, se renseigner sur les horaires)

## 100% marseillais
# Aux portes des Calanques

Nous sommes encore dans les 8e et 9e arrondissements de Marseille, mais la ville se fait déjà lointaine pour prendre des allures de petits ports de pêche nichés au bout du monde. Les cabanons, les criques qui se succèdent et la roche calcaire des calanques fleurent bon les vacances et le farniente. Reste que le trajet en voiture et les fréquents embouteillages peuvent annuler les bénéfices de cette escapade au calme.

**❶ Les prémices**

Ceint de falaises calcaires, premiers émissaires du massif des calanques, le **parc Montredon-Campagne Pastré** (155 av. de Montredon, 8e ; ⏱nov-fév 8h-17h30, mars-avr et sept-oct 8h-19h, mai-août 8h-20h) est un espace naturel de 112 ha qui offre aux randonneurs un accès immédiat à divers chemins de randonnée passant aux abords de la cité. Au cœur de ce parc, annoncé par une noble allée de 900 m, les pique-niques sont les bienvenus.

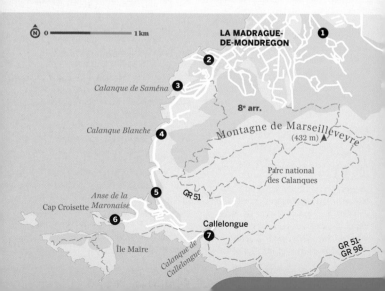

## ❷ La Madrague

Situé après les plages de la Pointe-Rouge, bondée en été, et de la Verrerie, idéale pour les apéros, le petit port de la Madrague, tout d'abord, fait office de refuge salutaire. Rien ne vient troubler la quiétude de ce hameau blotti dans une enclave, qui n'a rien perdu de son identité traditionnelle. Secrètement lové en ces lieux, le décontracté **Au Bord de l'Eau** (📞04 91 72 68 04 ; port de la Madrague-Montredon, 8ᵉ ; ☺été tous les soirs et midi jeu-dim, mars juin et sept-oct jeu-mar midi, nov et fév jeu-lun midi) propose des pizzas cuites au feu de bois ou des spécialités de brochettes de la mer.

## ❸ Saména

La calanque de Saména est encore polluée par le plomb d'anciennes usines, ce qui explique que certaines zones soient interdites d'accès. Non loin, les adeptes du naturisme trouveront leur bonheur, en particulier du côté du gay Montrose. Dominant la calanque, le restaurant **Les Tamaris** (📞04 91 73 39 10 ; 40 bd Calanque-de-Saména, 8ᵉ ; ☺jeu-dim) offre un cadre agréable. Des parties de pétanque s'y jouent en attendant le plat.

## ❹ Sur la route des Goudes

La route sinueuse offre une vue imprenable sur la Grande Bleue. Impossible de manquer cette adresse en hauteur, au niveau de la calanque Blanche : le **Tiboulen de Maire** (📞04 91 25 26 30 ; route des Goudes, 8ᵉ ; ☺fermé dim soir, mer et jours de mauvais

temps, pêche oblige) est un restaurant de poisson de premier choix. Unique en son genre, la Gril'Bouille : combinaison subtile de bouillabaisse et de poissons grillés.

## ❺ Les Goudes et la baie des Singes

À l'entrée de cet adorable petit village, où se succèdent restaurants et cabanons, le pub **20 000 Lieues** (📞04 91 25 05 24 ; 12 bd Alexandre-Delabre, 8ᵉ ; ☺tlj 15h-2h, à partir de 11h30 sam-dim) est parfait pour un apéro sur les grandes tables dehors, avec vue sur le large, accompagné de pizzas si l'on veut. En poursuivant la route de la Maronaise (qui part sur la droite), on traverse un paysage du bout du monde jusqu'à la baie des Singes.

## ❻ Callelongue

Une autre option consiste à continuer tout droit vers Callelongue, surnommé "le bout du monde" : le chemin se termine en cul-de-sac. Au-delà s'étend le domaine des grandes calanques, que l'on peut rejoindre à pied par le GR® qui rejoint Cassis (11 heures à crapahuter) et débute ici. La mer s'ouvre vers le grand large, avec, en premier plan, l'archipel de Riou au profil inviolé, presque désertique. Il s'agit de sanctuaires ornithologiques sur lesquels il est interdit de débarquer. À Callelongue, vous trouverez également un établissement pour vous restaurer, **la Grotte** (📞04 91 73 17 79 ; calanque de Callelongue, 8ᵉ ; ☺tlj, fermé Noël et Jour de l'an).

Explorer

# Les Calanques

Ce site sauvage et escarpé, désormais auréolé du statut de parc national, relie Marseille à Cassis et offre au visiteur une succession de roches de calcaire blanc, une eau limpide et une végétation aride mais riche d'espèces protégées. Gabians, puffins cendrés ou aigles de Bonelli n'ont d'ailleurs pas hésité à y élire domicile.

# L'essentiel en un jour

☀️ Une journée dans les calanques ne s'improvise pas. Le maillot de bain fait certes partie de la panoplie, mais n'oubliez pas une bonne paire de chaussures de marche, la crème solaire et l'eau. Et un pique-nique si vous ne prévoyez pas de déjeuner dans un restaurant. Un classique consiste à se rendre à **Callelongue** (p. 113), d'y laisser sa voiture, puis de marcher une heure jusqu'à **Marselleveyre** (p. 118), où la fameuse paillote **Le Belge** (p. 123) vous attend. C'est juste un délice de se baigner en attendant son plat.

☀️ Après le repas, les plus courageux poursuivront leur marche sur le chemin de Sormiou ; les moins sportifs reviendront vers Callelongue. Allez voir la **baie des Singes** (p. 113) puis laissez-vous charmer par le village des **Goudes** (p. 113).

🌙 Pour un apéritif en bord de mer, il faut rebrousser chemin vers Marseille. À l'entrée des Goudes, le pub **20 000 Lieues** (p. 113) se révèle un endroit idéal. En rentrant plus encore vers la ville, et à condition de s'être arrêté avant à une supérette, la **plage de la Verrerie** (p. 113) est un bon coin aussi. Elle était connue pour abriter, il y a peu encore, la pizzeria Chez Dédé (détruite pour cause de loi littorale). Pour le dîner, direction le **Bord de l'Eau** (p.113) ou **Les Tamaris** (p.113).

## 👁 Les incontournables

Les Baie des Singes (p. 113)

Les Goudes (p. 113)

Le massif des Calanques (p. 116)

## 🍴 Se restaurer dans les Calanques

Le Belge (p. 123)

Le Lunch (p. 123)

Le Nautic Bar (p. 123)

## Comment y aller

Callelongue 🚌 bus n°19, puis bus n°20.

Marseilleveyre 🚌 bus n°19, puis bus n°20 et ensuite une heure de marche environ.

Sormiou 🚌 bus n°23, puis une heure de marche.

Morgiou 🚌 bus n°22, puis une heure de marche.

Sugiton 🚌 bus n°21 puis une heure de marche. À savoir que c'est aussi la calanque la plus facile d'accès en voiture.

# Les Calanques, mode d'emploi

Même si on peut approcher de certains points en voiture, le massif des Calanques se découvre à pied. Quelle que soit votre forme physique, ne partez jamais à l'improviste : sans un minimum d'équipement (surtout l'été), ce lieu paradisiaque peut vite se transformer en véritable enfer. N'oubliez donc pas une quantité d'eau suffisante (ne comptez pas en trouver en chemin), un chapeau, des lunettes de soleil, de bonnes chaussures de marche, une crème solaire efficace et une carte.

Lors de vos promenades, ne sortez pas des sentiers balisés, ne cueillez ou ne ramassez rien, gardez vos déchets dans vos sacs à dos et jetez-les lorsque vous croiserez une poubelle. Il est également strictement interdit de camper, même de bivouaquer et surtout de faire du feu et de fumer.

Les incendies sont en effet un véritable fléau pour les calanques. Du 1er juin au 30 septembre, l'**accès** et la circulation sont en conséquence très réglementés. En fonction des conditions météo, le massif peut ainsi être autorisé seulement de 6h à 11h ou, en cas de niveau de danger classé noir, interdit toute la journée. Les prévisions sont connues au plus tard à 18h pour le lendemain.

## Comprendre
### Le parc national des Calanques

Il aura fallu une quinzaine d'années de gestation pour parvenir au parc national des Calanques, créé par décret en avril 2012. Avant cette création, un groupement d'intérêt public, le GIP des Calanques, gérait le massif depuis 1999. Ses spécificités expliquent pour beaucoup cette lenteur. Le 11e parc national français est en effet pour particularité de couvrir un territoire périurbain à la fois terrestre et maritime. Et les usages sur ce site naturel sont nombreux. Depuis des lustres, on y chasse, on y pêche, on y cueille des plantes. Chaque crique ou presque a aussi son cabanon (voir encadré p. 122). Bien que déjà réglementées (les calanques sont classées depuis 1975), ces pratiques ne cohabitaient pas forcément bien avec les enjeux d'un parc. Cela dit, elles demeurent autorisées, tout en étant davantage encadrées. Le parc couvre une superficie de 8 500 ha terrestres (répartis sur les communes de Marseille, Cassis et La Ciotat) et 43 500 ha maritimes. On y dénombre 140 espèces terrestres et végétales protégées, et 60 espèces maritimes patrimoniales. Le parc en est encore à ses prémices. À terme, un espace d'information dédié au public devrait être ouvert.

Appelez le ☎0811 20 13 13 pour les connaître, ou consultez les sites www.bouches-du-rhone.pref.gouv.fr ou www.visitprovence.com.

Sachez aussi que, de juin à fin septembre, et tous les week-ends, ponts et jours fériés d'avril et juin, les routes de Morgiou et de Sormiou sont fermées à la circulation de 8h à 19h30 (sauf si vous obtenez un laissez-passer, en réservant dans un restaurant). Les parkings de ces deux calanques sont payants. L'accès à Callelongue est aussi réglementé de juin à septembre, tous les jours de 8h à 19h30.

Une **carte** du parc (assez sommaire) est téléchargeable sur le site du parc national (www.calanques-parcnational.fr). Mais si vous ne deviez vous munir que d'une **carte**, optez pour la très complète *Les Calanques de Marseille à Cassis* (IGN nº 82011). Vous trouverez également des informations pratiques sur le site www.gipcalanques.fr.

Il peut être utile de contacter le comité départemental de la Fédération française de la randonnée pédestre (☎01 44 89 93 93 ; www.ffrandonnee.fr), qui publie les topoguides ou l'antenne locale du **Club alpin français** (☎04 91 54 25 84 ; http://cafmarseille.free.fr : 14 quai de Rive-Neuve, 7ᵉ).

# Promenades

Pour les flemmards, ou ceux qui disposent de peu de temps, voici quelques itinéraires faciles ou courts.

**Marseilleveyre**, au départ de **Callelongue** (1 heure). N'oubliez pas au passage de déjeuner chez Le Belge (p.123).

**Sugiton**, au départ de **Luminy** (40 min). L'aller, tout en descente, est très facile, mais vous souffrirez beaucoup plus au retour !

Le **belvédère du Crêt Saint-Michel**, au départ de Luminy (30 min). Même départ que Sugiton mais, au lieu de descendre vers la calanque, au niveau du col, continuez en direction du belvédère (c'est indiqué). Aux beaux jours, on vient y boire l'apéro le soir en admirant la vue. Idéal aussi pour un goûter avec des enfants.

**En-Vau**, au départ du col de la Gardiole (1 heure 15). Après la barrière, aller jusqu'à la Maison forestière, la contourner et suivre le tracé rouge. Attention, le retour est éprouvant.

**Port-Pin** ou la **pointe de la Cacau** au départ de **Port-Miou** (30 min). Après le parking, suivre tout droit une large piste avec à gauche Port-Miou et à droite une ancienne carrière. Au bout, le chemin se rétrécit. Après quelques marches glissantes, un collet domine **Port-Pin**. Au lieu de descendre vers la calanque, vous pouvez continuer sur votre gauche, vers la **pointe de la Cacau** (15 min de plus), d'où le point de vue sur la rade de Cassis est magnifique. N'oubliez pas de faire un arrêt par l'amusant mais minuscule trou souffleur, appelé couramment "Martin Bouffe" (il est en général indiqué sur les cartes IGN).

# Randonnées

En règle générale, on peut atteindre
une calanque précise depuis diverses
entrées du parc national, tandis que le
GR® côtier 98-51 relie l'ensemble des
calanques, de Callelongue – à la limite
de la rade de Marseille – à Cassis,
en 11 heures de marche soutenue et
parfois acrobatique. Il est bien sûr
possible de panacher les deux options :
arriver par une calanque, puis, par le
sentier côtier, rejoindre la calanque
mitoyenne d'où on remontera
jusqu'en ville, par sa voie d'accès. Sauf
précision, les durées sont indiquées
pour un aller.

Les randonnées détaillées ci-dessous
se suivent mais peuvent aussi (sauf
précision) se faire indépendamment
les unes des autres.

## De Callelongue
## à Marseilleveyre

**Accès à Callelongue :** en voiture
par la route des Goudes ou en bus
au départ du métro Castellane ;
prendre le n° 19 direction Madrague-
Montredon jusqu'au terminus, puis le
n° 20 direction Callelongue, jusqu'au
terminus (environ 45 min).
**Durée :** 1 heure.
**Niveau :** facile.
L'amorce du sentier (GR®98-51) est
en face du restaurant La Grotte,
dans le hameau de Callelongue.
Après une brève montée, le chemin
contourne un mamelon rocheux coiffé
par un sémaphore désaffecté. Vous
parviendrez ensuite à la toute petite
calanque de la Mounine, frangée d'une
minuscule plage de galets. De là, le
sentier, presque à fleur d'eau, mène à
la calanque de Marseilleveyre, que l'on
atteint au bout d'une heure de marche
environ. Elle est occupée par quelques
cabanons et un restaurant.

## De Marseilleveyre à Sormiou

**Accès à Marseilleveyre :** à pied depuis
Callelongue.
**Durée :** 3 heures.
**Difficulté :** moyenne.
Une fois arrivé à Marseilleveyre, vous
pouvez, si le cœur vous en dit, pousser
jusqu'à Sormiou. En repartant de la
plage, le sentier s'élève légèrement
et rejoint rapidement la calanque de
Podestat, encaissée, qu'il contourne en
surplomb. On s'écarte progressivement
du bord de mer pour cheminer en
balcon, à 150 m d'altitude environ
avec, à main droite, au large, la
vertigineuse île de Riou. Le paysage
se resserre peu à peu et devient plus
sauvage avec, au loin, le cirque de la
Bougie, puis le cirque des Walkyries.
Au bout de 2 heures 30, après une
montée escarpée, on atteint le col de
Cortiou (environ 230 m), où s'ouvre
un superbe panorama avec, à gauche,
l'agglomération marseillaise et, plein
est, le vallon de Sormiou.

Du col, descendez jusqu'à la route
et, plutôt que de continuer à suivre
le GR® et le tracé noir, empruntez
la route jusqu'à la calanque de
Sormiou, habitée et dotée de plusieurs
restaurants. À hauteur des maisons
en corniche, reprenez le tracé du GR®

En randonnée, dans les calanques

et le tracé noir qui vous mèneront au petit port de Sormiou, derrière le promontoire rocheux. Pique-nique et snorkeling s'imposent. Le chemin longe un moment la falaise bordée de pins avant d'attaquer une rude montée qui vous coupera le souffle. En vous retournant, vous serez récompensé par le superbe panorama.

### De Sormiou à Morgiou

**Accès à Sormiou :** en voiture par Bonneveine puis la Cayolle. En bus, prendre le n° 23 du métro Rond-Point-du-Prado, direction Beauvallon, arrêt la Cayolle (25 min). L'été, la route du col est fermée et il faut compter une bonne heure sur route goudronnée pour atteindre à pied la calanque.
**Durée :** 2 heures.

**Difficulté :** moyenne.
Pour le départ, il vous faut vous éloigner du bord de mer et grimper raide. Vous cheminerez à une altitude de 230 m environ, sur la crête de Morgiou, suspendue entre ciel et mer, avant d'obliquer brusquement vers le nord-est et d'entreprendre la descente sur la calanque de Morgiou. Prudence, la descente est escarpée. À Morgiou, les sages rangées de cabanons ont des allures de carte postale.

### De Morgiou à Sugiton

**Accès à Morgiou :** en voiture, direction les Baumettes, puis le col de Morgiou. En bus, au départ du métro Rond-Point-du-Prado, prendre le n° 22 direction "Les Baumettes" jusqu'au terminus (environ 40 min). Comme Sormiou, comptez une heure de marche pour rejoindre la calanque à partir de ce point.
**Durée :** 2 heures.
**Difficulté :** des passages acrobatiques jusqu'à Sugiton.
De Morgiou, la progression n'est guère aisée et il faut compter une quarantaine de minutes pour rejoindre la calanque de Sugiton, à laquelle on accède par un passage raide, équipé d'une main courante et d'une échelle. Très encaissée, fermée à l'est par la perspective de la Grande Candelle, ourlée de criques, c'est probablement la plus séduisante. L'îlot, juste en face, en forme de sous-marin, s'appelle le Torpilleur. Succède une montée abrupte, qui découvre un panorama sur la calanque des

Pierres-Tombées, prisée des nudistes. Depuis le creux de l'anse de Sugiton, en piquant perpendiculairement à la côte, vous escaladerez le massif par des sentiers rocailleux en direction du col de Sugiton (217 m), puis du domaine universitaire de Luminy, via la bretelle 6a (pointillés jaunes). À mi-pente, une voie bétonnée servant en cas d'incendie offre une possibilité plus carrossable de rejoindre le massif boisé d'où, par un large chemin, vous atteignez le domaine de Luminy et l'arrêt du bus n° 21. À côté, une fontaine d'eau potable vous récompensera de vos efforts !

## De Sugiton à En-Vau

**Accès à Luminy (Sugiton) :** en voiture, se garer sur le campus de Luminy, au niveau de l'École des beaux-arts. En bus, prendre le n° 21 au départ du métro Castellane direction Luminy jusqu'au terminus (environ 25 min).
**Durée :** 4 heures (au départ de Luminy ou de la calanque).
**Difficulté :** difficile.
Cette étape spectaculaire débute par le secteur le plus sauvage du massif, puis rallie un secteur plus fréquenté et touristique. Elle se termine par une enfilade de trois magnifiques calanques. Au-dessus des roches plates accueillant les naturistes, le sentier s'incurve vers l'intérieur des terres et entame une ascension progressive le long d'une impressionnante barre rocheuse, la falaise des Toits (attention à ne pas perdre le tracé du GR®, qui

reste près de la falaise), avant de parvenir à un carrefour de sentiers.

Le dénivelé devient ensuite important, avant de se stabiliser, puis de remonter à nouveau jusqu'au col de la Candelle, point culminant (433 m) de l'étape, au pied de la Grande Candelle (454 m), assez en retrait de la mer. Comptez 50 minutes depuis la jonction avec le GR®. Le panorama est fantastique : à l'est, on aperçoit le cap Canaille qui limite la baie de Cassis. Du col, suivez le tracé en pointillé vert (6a), plus direct que le GR®, que l'on rattrape une dizaine de minutes plus tard. Le sentier suit une descente progressive, traverse un vallon, puis se rapproche peu à peu du littoral en restant en corniche.

On pénètre alors dans le massif du Devenson, particulièrement spectaculaire. Désormais, le sentier longe des falaises qui plongent vertigineusement dans l'eau, quelque 250 m en contrebas. Au passage, on devinera la calanque de l'Œil-de-Verre, l'aiguille du Devenson, la calanque du Devenson puis la calanque de l'Eissadon. Ces calanques sont inaccessibles. À 1 heure 30 du col de la Candelle, vous atteindrez un belvédère, d'où la vue est somptueuse, avant que le sentier n'entame une descente très raide jusqu'au vallon de l'Oule. Le sentier remonte la vallée dos à la mer, en pente douce, jusqu'au col de l'Oule, que l'on atteint en 45 minutes. À ce carrefour, quittez provisoirement le GR® et suivez le tracé bleu, sur la crête, jusqu'au belvédère d'En-Vau, où

BASILE VAILLANT©

Dans les calanques, chacun trouve sa crique...

apparaît, en contrebas, l'éblouissante calanque d'En-Vau. Vous ne tarderez pas à la rejoindre, mais il vous faudra suivre le tracé bleu qui plonge brusquement dans la vallée. Attention, ces passages escarpés la rendent dangereuse.

Les deux aiguilles sont la Petite Aiguille, sur la plage même, et le Doigt de Dieu, qui domine la mer du haut de ses 80 m. Les nombreuses parois abruptes qui la cernent sont le terrain de prédilection des grimpeurs.

### D'En-Vau à Port-Miou, en passant par Port-Pin

**Accès à En-Vau :** prendre la route de la Gineste (elle est indiquée dès le rond point de Mazargues). Après le camp militaire de Carpiagne, prendre à

droite la petite route Gaston-Rébuffat. Se garer sur le parking du col de la Gardiole.
**Durée :** 1 heure 30 depuis la calanque d'En-Vau (en arrivant de Sugiton), 2 heures 30 du col de la Gardiole.
**Difficulté :** moyenne.
De la calanque, reprenez le GR® qui remonte tout aussi brusquement dans de gros éboulis rocheux sur le plateau de Cadeiron en une demi-heure environ. De là, la descente est très facile jusqu'à Port-Pin, autre belle calanque propice à la baignade.

Une petite échine rocheuse la sépare de son immense voisine, la calanque de Port-Miou, long serpent de 1,5 km, port de plaisance naturel très fréquenté où s'alignent des dizaines de voiliers. Le sentier, plat, la suit en corniche pendant 25 minutes jusqu'à la route, à l'ouest de Cassis. Comptez encore 25 minutes pour rejoindre le centre de Cassis.

### Port-Miou-Port-Pin-En-Vau

**Accès à Port-Miou (vers Port-Pin et En-Vau) depuis Cassis :** suivre en voiture la direction "Presqu'île" et se garer sur le parking (payant en saison) ou le long de la route. Pour les courageux, Port-Miou n'est qu'à 1,5 km du centre de Cassis, mais attention, ça grimpe ! Une approche très agréable peut également se faire depuis la mer grâce aux excursions en bateau proposées depuis le port de Cassis.
**Durée :** 1 heure 30.
**Difficulté :** facile.

Q 100% marseillais

## Les cabanons, bastides des pauvres

Petits abris situés face à la mer, les cabanons sont devenus, au fil du temps, emblématiques d'une tradition typiquement marseillaise. Chaque crique du littoral phocéen, ainsi que certaines calanques, comme Morgiou et Sormiou, abritent ces drôles de maisonnettes, apparues au début du XX$^e$ siècle pour entreposer les barques des pêcheurs. Signe des temps, les cabanons, sans renier leur tradition populaire, sont aujourd'hui des lieux de villégiature très prisés des Marseillais, malgré leur confort sommaire. Certains "cabanoniers" s'y installent à temps plein durant l'été, et sont ravis de retrouver leurs voisins. De fait, qu'ils s'y rendent en famille ou entre amis, les heureux possesseurs de cabanons – qui transmettent leur bien de génération en génération – se savent garants d'un art de vivre qui se conjugue sur le mode du farniente, de la convivialité et de l'égalité sociale.

## La traversée Marseille-Cassis

Cette traversée, d'une durée totale de 6 heures-6 heures 30 environ, emprunte en majeure partie le tracé du GR® 98-51. L'essentiel du parcours longe le littoral, avec cependant quelques incursions vers l'intérieur du massif. Attention, la traversée du massif par le GR® 98-51 est un itinéraire accidenté, avec des couloirs très escarpés, des falaises à pic et un sentier rocailleux. L'absence d'ombre et les rares possibilités de ravitaillement sont également à prendre en compte. Impossible de tenter ce circuit l'été (sécurité incendie).
**Balisage** : rouge et blanc (tracé du GR® 98-51), tracé jaune et vert (partiel), tracé bleu (partiel), tracé vert (partiel).
**Durée** : 6 heures-6 heures 30.
**Difficulté** : moyenne à difficile, passages très escarpés nécessitant l'aide des mains. Balisage insuffisant par endroits.
**Départ** : domaine universitaire de Luminy.
**Arrivée** : Cassis.

## ☺ Sports et activités

### Escalade

Le secteur est aussi un haut lieu de l'escalade en Europe et de nombreuses parois sont équipées. On peut se procurer le topoguide *Escalade, les Calanques*. (www.topo-calanques.com). Pour tout conseil ou pour partir accompagné, n'hésitez pas à contacter le **Bureau des moniteurs des calanques** (☎04 91 22 70 92 ; http://bmc-escalade.com ; 272 av. de Mazargues, 8$^e$ ; ☺lun-ven 9h-12h et mer 14h-17h30).

## Kayak de mer

Les amateurs de kayak de mer s'adresseront à **Raskas Kayak** depuis Callelongue (☑04 91 73 27 16 ou 06 20 46 83 82 , www.raskas-kayak.com , 35 € la demi-journée) ou à **Provence Kayak Mer** (☑06 12 95 20 12 ; www.provencekayakmer.fr ; 35 € la demi-journée) depuis Cassis, Marseille et La Ciotat.

# Se restaurer

### Le Belge                    CUISINE FAMILIALE  €€

À une heure de marche de Callelongue, cet établissement tient plus de la buvette (spaghettis bolognaises, côtes de porc, frites…) que du restaurant mais l'environnement est plus qu'agréable. (calanque de Marseilleveyre ; ☺déj sam-dim hors saison et tlj durant l'été)

### Le Lunch                    POISSON  €€€

Au bord de l'eau, l'établissement est réputé pour ses spécialités de la mer et sa bouillabaisse. (☑04 91 25 05 37 ; calanque de Sormiou ; ☺mars-oct)

### Le Nautic Bar               POISSON  €€€

Dans un cadre exceptionnel, l'impression d'être au bout du monde pour déguster fritures, poisson grillé et bouillabaisse. (☑04 91 40 06 37 ; calanque de Morgiou ; ☺fermé dim soir, lun et jan)

# Marseille
## selon ses envies

**Les plus belles balades**

Au pays de Pagnol . . . . . . . . . . . . . . 126

L'Estaque et la Côte Bleue . . . . . . . . 128

Dans les pas de
Marseille Provence 2013 . . . . . . . 130

**Envie de...**

Gastronomie locale . . . . . . . . . . . . . 132

Marseille en famille. . . . . . . . . . . . . 134

Shopping . . . . . . . . . . . . . . . . . . . . 136

Savon de Marseille . . . . . . . . . . . . . 137

Vie nocturne . . . . . . . . . . . . . . . . . 138

Se baigner . . . . . . . . . . . . . . 139

Traditions . . . . . . . . . . . . . . . . . . . 140

Plonger à Marseille . . . . . . . . . . . . . 142

Pétanque . . . . . . . . . . . . . . . . . . . . 143

Vivre à la marseillaise . . . . . . . . . . . 144

**Hier et aujourd'hui**                    **147**

La rue Bargemon et sa vue imprenable sur la "Bonne Mère"
BASILE VAILLANT ©

# Les plus belles balades
## Au pays de Pagnol

### ✈ Itinéraire

On le voit de nombreux points de Marseille. Le massif du Garlaban qui a tant inspiré Marcel Pagnol culmine à 714 m à l'ouest d'Aubagne. Il n'y a ainsi qu'un pas pour entrer dans l'univers de l'auteur de *Manon des Sources*, du *Château de ma mère* et de *La Gloire de mon père*. D'autant que les jalons sont posés dès le quartier de la Treille, encore dans le 11e arrondissement de Marseille. Du 1er juin au 30 septembre, si vous décidez d'inclure à la balade un peu de randonnée, vérifiez les conditions d'accès au ☎ 0811 20 13 13.

**Départ** : Le Château de la Buzine (depuis Marseille, prendre l'A50, sortie La Valentine, c'est indiqué par la suite)

**Arrivée** : Aubagne

**Durée** : une journée

### ✖ Une petite faim ?

Le cadre, sur fond de collines, de l'**auberge de la Ferme** (☎ 04 42 03 29 67 ; www.aubergelaferme.com ; chemin du Ruissatel, La Font de Mai, Aubagne ; menu 50 € ; ⏱ midi mer-ven et dim, soir ven-sam) vaut à lui seul le détour. Côté fourneaux, une authentique cuisine provençale de qualité

### ❶ Le Château de la Buzine

Marcel Pagnol a acquis en 1941 cette bastide qui lui rappelle le château de sa mère. Elle abrite aujourd'hui la **Maison des cinématographies de la Méditerranée** (☎ 04 91 45 27 60 ; www.chateaudelabuzine.com ; 56 traverse de la Buzine, 11e ; parcours 7,70/6 €, ciné 6,90/4,40 €, ciné-brunch 20/17 € ; ⏱ juin-sept tlj 11h-19h, oct-mai mar-dim 10h-18h, fermé jan à mi-fév, où des expos et des projections sont régulièrement organisées. Ciné-brunch les dimanches à partir de 12h.

### ❷ Le hameau de La Treille

Dès l'instant où l'on pénètre dans cet adorable lieu, blotti sur les premiers contreforts du massif de l'Étoile, le temps semble s'être figé. Ici la fontaine de Manon des Sources, là l'église des sermons du tonitruant curé de la Bastide blanche. Marcel Pagnol est enterré au cimetière.

## ❸ Dans le décor du Cigalon

Datant de 1896, le restaurant **Le Cigalon** (📞04 91 43 03 63 ; 9 bd Louis-Pasteur, La Treille ; 🕐oct-fév fermé dim soir et mer) a servi de décor au film éponyme de Pagnol. Il sert toujours une bonne cuisine provençale

## ❹ Le circuit pédestre

Les plus fervents nostalgiques apprécieront le circuit de randonnée qui les mènera, en 4 heures environ, à Aubagne en passant par la Bastide Neuve, la maison de son copain Lili et les collines. Renseignements auprès de l'**office du tourisme du pays d'Aubagne** (📞04 42 03 49 98 ; www.tourisme-paysdaubagne.fr ; 8 cours Barthélemy, Aubagne)

## ❺ Le petit monde de Marcel Pagnol

L'ancien kiosque à musique d'Aubagne abrite ce **petit monde en figurines** (esplanade Charles-de-Gaulle ; entrée libre ; 🕐sept-oct et janv-mars tlj 10h-12h30 et 14h 17h30, nov-déc et avr-juin tlj 9h-12h30 et 14h30 18h, juil-août tlj 10h-13h et 14h-19h) dédié aux personnages et interprètes des œuvres de Pagnol.

## ❻ La maison natale

C'est donc là que naquit l'auteur et réalisateur, le 28 février 1895. On trouve ici quelques pièces aménagées comme à la fin du XIX$^e$ siècle, des photos de Pagnol et de ses tournages, ainsi qu'une vidéo pour mieux comprendre sa vie et son œuvre. (16 cours Barthélemy, Aubagne ; 3/2 € ; gratuit - 5 ans ; 🕐nov-mars mar-dim 14h-17h30, avr-oct tlj 10h-13h et 14h-18h)

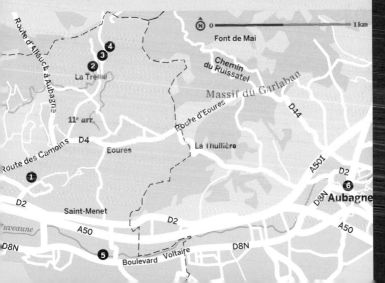

# Les plus belles balades
## L'Estaque et la Côte Bleue

### ✦ Itinéraire

Aux confins nord de Marseille, après une vaste zone portuaire peu engageante, vous découvrirez le petit port de l'Estaque, adossé à la montagne et les pieds dans l'eau. Cézanne, Renoir, Braque, Dufy et Derain sont tous, à leur époque, tombés sous le charme de ce quartier aux allures de village, et plus près de nous, le réalisateur marseillais Robert Guédiguian. La ville se termine et déjà s'ouvre la Côte Bleue, domaine de villégiature aussi appréciable que le bord de mer cassidain, mais en plus authentique, familial et populaire. Les visiteurs non motorisés, pour qui ce parcours est inenvisageable, pourront choisir un point de chute parmi les calanques desservies par le train de la Côte Bleue (départ de la gare Saint-Charles). Il fait halte à l'Estaque, Niolon, Ensuès-la-Redonne, Carry-le-Rouet, Sausset-les-Pins et La Couronne).

**Départ** : L'Estaque. En voiture, prendre l'A55 depuis le centre de Marseille en direction de Fos-Martigues, puis sortie 5, l'Estaque.

**Arrivée** : Carro

**Durée** : Une journée

### ✖ Une petite faim ?

On vient au **Mangetout** (📞 04 42 45 91 68 ; 8 chemin du Tire-Cul, calanque de Méjean ; 🕐 fév-nov, fermé mer) pour sa situation privilégiée dans le port de Méjean et pour ses fritures de mange-tout. Un bonheur simple particulièrement recherché : pensez à réserver, ce serait dommage d'arriver jusqu'ici sans trouver où s'asseoir.

### ❶ Le port et les rues de l'Estaque

Des voiliers qui cliquettent dans le vent, une promenade bordée de terrasses aux odeurs enivrantes de poissons grillés, des chichis frégis au sucre en guise de goûter, un labyrinthe de ruelles qui grimpent jusqu'à l'église : lieu de promenade dominicale par excellence, le village a su garder son caractère authentique.

### ❷ La Fondation Monticelli

Sur la route du Rove, dominant la rade de Marseille, le Fortin de Corbières abrite la **Fondation Monticelli** (📞 04 91 03 49 46 ; www.fondationmonticelli.com ; tarif plein/réduit 4,50/3 € ; 🕐 mer-dim 10h-17h) dédiée au peintre marseillais qui a notamment inspiré Vincent Van Gogh. Des expositions temporaires y sont aussi organisées.

### ❸ Niolon

Le petit port de Niolon se situe sur la commune du Rove. Ici, comme dans d'autres lieux magiques des environs, on savoure le temps qui semble s'être arrêté.

## ❹ Ensuès-la-Redonne

Du village central, Ensuès, sur le plateau, il faut gagner le littoral, distant d'environ 3 km, où se blottissent de magnifiques calanques. La Madrague de Gignac tout d'abord, où vous pourrez sans problème nager dans le petit port, la Redonne que surplombe la petite gare SNCF, les Figuières et sa plage nudiste à droite à flanc de falaise, après la plage de galets. Enfin, Méjean, la plus orientale.

## ❺ Carry-le-Rouet

Après Ensuès, la chaîne de l'Estaque s'adoucit et présente un relief moins tourmenté. Carry-le-Rouet est une agréable station balnéaire, très fréquentée le week-end et en été.

## ❻ Sausset-les-Pins

Autre lieu de villégiature, organisé autour de son port de plaisance et du front de mer. Même si les vagues paraissent bien modestes, ne vous fiez pas aux apparences : Sausset est reconnue comme spot de windsurf.

## ❼ La Couronne

La commune est réputée pour ses plages de sable très fréquentées l'été. Pour de grandes plages dégagées, choisissez celle du Verdon ou de Sainte-Croix.

## ❽ Carro

Le petit port de pêche de Carro respire le calme et l'authenticité, tant sa physionomie n'a guère changé depuis le siècle dernier. Le matin, ne manquez pas le marché aux poissons. C'est aussi un spot de windsurf et de planche à voile.

# Les plus belles balades
## Dans les pas de Marseille Provence 2013

Lors de la candidature pour être capitale européenne de la culture en 2013, c'est tout un territoire qui a été mis en avant. Marseille Provence 2013 se déroule ainsi en maints lieux, même si beaucoup de manifestations sont programmées dans la cité phocéenne. Nous en avons sélectionné 7, qui constituent autant d'occasions de découvrir des villes souvent très différentes. Il serait ambitieux de tout faire dans la même journée, aussi le mieux est de « picorer » selon vos envies d'escapade.

### ❶ Martigues

Quel contraste entre le cachet intime du centre-ville et le bataillon de complexes industriels qui la cernent ! Surnommée la "Venise provençale", Martigues se plaît à dérouter le visiteur.
▶ À voir : "Raoul Dufy, de Martigues à l'Estaque", du 13 juin au 13 octobre au **musée Ziem** (☎ 04 42 41 39 60 ; bd. du 14-juillet ; 8/5 € ; ⏲ tlj 11h-19h).

### ❷ Istres

Peu connue comme destination touristique, Istres possède sur son territoire pas moins de quatre étangs. Promenez-vous dans le joli centre ancien. L'église Notre-Dame-de-Beauvoir mérite le coup d'œil pour son style roman provençal épuré.
▶ À voir : Daniel Buren investit le nouveau **Forum des arts** (renseignements auprès de l'office du tourisme, ☎ 04 42 81 76 00). Du 5 juillet au 31 décembre.

### ❸ Arles

Accoudée au Grand-Rhône depuis plus de 2 000 ans, haut lieu de la tauromachie et de la photographie, Arles tire sa gloire d'un passé monumental, dont l'épisode romain fut sans doute le plus faste. On ne se lasse pas de ses ruelles charmantes.
▶ À voir : "Rodin, la lumière de l'antique", du 6 avril au 1er septembre au **musée départemental de l'Arles antique** (☎ 04 13 31 51 03 ; presqu'île du Cirque-Romain ; tarif 8/5 € ; ⏲ tlj sf mardi 10h-18h) ; "Nuage", du 16 mai au 31 octobre au **musée Réatu** (☎ 04 90 49 37 58 ; 10 rue du Grand-Prieuré ; tarif 8/6 €).

### ❹ Saint-Rémy-de-Provence

La principale localité des Alpilles mérite une halte prolongée pour découvrir la vieille ville et son riche patrimoine architectural.
▶ À voir : "Les paysages des Alpilles, une aventure esthétique aux XXe et XXIe siècles", du 5 octobre au 5 janvier au nouveau **musée Estrine** (☎ 04 90 92 34 72 ; 8 rue Estrine ; ⏲ tlj sf lun 10h30-12h30 et 14h-18h).

## ❺ Salon-de-Provence

Ville natale de Nostradamus et fief de la savonnerie, Salon-de-Provence bénéficie de sa situation géographique, au centre du département.

▶ À voir : "Transhumance d'aujourd'hui, transhumance d'hier" au **musée de l'Empéri** (📞04 90 44 72 80 : château de l'Empéri, montée du Puech ; 🕐tlj sf lun 9h30-12h et 14h-18h), du 5 avril au 31 mai, et une peinture monumentale de l'artiste franco-suisse Felice Varini, du 24 mai au 30 novembre sur la terrasse du château de l'Empéri.

## ❻ Aix-en-Provence

On ne présente plus la grande rivale de Marseille, ô combien agréable à visiter.

▶ À voir : Parmi les nombreuses manifestations, la grande exposition "De Cézanne à Matisse", du 13 juin au 13 octobre au **musée Granet** (📞04 42 52 88 32 ; 18 rue Roux-Alphéran ; tarif 11/9 € ; 🕐mar-dim 10h-19h), retient particulièrement l'attention.

## ❼ Gardanne

Son histoire est étroitement liée à l'exploitation du charbon qui anima la commune pendant quatre siècles.

▶ À voir : L'installation sonore au puits Morandat, le plus profond d'Europe, qui a fermé ses portes il y a dix ans. Du 13 avril au 12 mai.

# Envie de...
# Gastronomie locale

En général, la première chose que l'on veut goûter en arrivant à Marseille, c'est la fameuse *bouillabaisse*. À l'origine, c'est un plat familial réalisé à base de certains poissons destinés à la vente et mis de côté par les pêcheurs. Au fil des années, elle s'est perfectionnée et fait même aujourd'hui l'objet d'une charte élaborée par le restaurant Le Miramar, très utile pour éviter les attrape-touristes. Pour l'anecdote, le mot *bouillabaisse* provient de son mode de cuisson : "Quand ça bouille, tu baisses !" Ci-dessous, les autres spécialités locales qui méritent d'être essayées :

### Produits de la mer

**La bourride** ressemble à la bouillabaisse mais ne se compose que de poissons blancs.

**Les supions et favouilles** désignent des encornets et de petits crabes que l'on retrouve dans de nombreux plats en sauce.

### Viande

**Les pieds** et **paquets** raviront les amateurs d'abats. Ce plat est fait de tripes farcies et de pieds de mouton ayant mijoté dans un bouillon parfumé de thym, de tomates, d'ail et d'oignons.

### Végétarien

**La soupe au pistou** est composée de haricots blancs, de courgettes, d'oignons, de pommes de terre, de tomates, de pâtes et de basilic pilé avec de l'ail et de l'huile d'olive (le pistou). Elle se déguste chaude ou froide.

**Les panisses** sont une spécialité de l'Estaque, élaborée à base de farine de pois chiches. Elles se mangent en hors-d'œuvre, coupées en tranches et frites.

BASILE VAILLANT©

## Les meilleures bouillabaisses

Le Miramar (p.36)

Chez Michel (p.110)

Chez Fonfon (p.110)

## Les meilleures spécialités régionales

Les pieds et paquets chez Madie (p.35)

Le pastis à la Maison du Pastis (p.43)

Les navettes aux Navettes des Accoules (p.59)

La partie traiteur de Bataille (p.68)

Les chichis et panisses à l'Estaque (p.128)

Le gibassier à la boulangerie Chez Michel (p.44)

L'abus d'alcool est dangereux pour la santé. La tapenade, moins

**La brousse** est un fromage frais de brebis fabriqué exclusivement dans les collines du Rove, une petite commune au nord de Marseille.

## Sucré

**Les chichis frégis** viennent du même quartier. Ce sont des beignets frits que l'on savoure trempés dans du sucre ou du chocolat.

**La pompe à l'huile** et le **gibassier** dont la différence est minime (le gibassier étant plus sec, plus croquant) font partie des treize desserts de Noël, une brioche parfumée à la fleur d'oranger et a l'huile d'olive.

**Le gâteau des rois** remplace en Provence la galette à l'Épiphanie. C'est une brioche garnie de fruits confits et parfumée à la fleur d'oranger.

**Les navettes** sont de petits biscuits secs parfumés à la fleur d'oranger, en forme de barque, que l'on mange à la Chandeleur.

## À boire

**Le gambetta** est un sirop à base de figues que l'on boit avec de la limonade ou de la bière. On le trouve dans les grandes surfaces.

**Le pastis**, boisson anisée a base de plantes locales – armoise, coriandre, fenouil, anis étoilée – que l'on ne présente plus et dont les versions différent selon les pays méditerranéens. Ici, deux écoles s'affrontent : Ricard et 51.

# Envie de...
# **Marseille en famille**

BASILE VAILLANT©

Marseille n'oublie jamais ses pitchouns ! Les calanques, la mer et le soleil sont des atouts considérables pour les activités de plein air. Il ne tient qu'à vous de faire gambader vos chères têtes blondes jusqu'à épuisement lors d'un pique-nique doublé d'une petite rando ! Les espaces verts ne sont certes pas très nombreux, mais la ville abrite quand même de jolis parcs.

### Activités culturelles

Côté culture, vous devriez pouvoir capter leur attention en leur racontant des histoires fascinantes liées aux collections de la Vieille-Charité ou des expositions en cours. Un musée leur est même entièrement consacré dans le quartier du Panier. Plusieurs théâtres de qualité dédient aussi leur programmation aux tout jeunes spectateurs. Si vous cherchez un agenda, sachez que Marseille L'Hebdo, qui paraît tous les mercredis en kiosque, dispose d'une rubrique dédiée aux minots.

### Se déplacer

Pour ce qui est de la logistique, que les jeunes mamans avec poussettes soient prévenues : le métro, avec ses escaliers interminables et ses escalators régulièrement en panne, peut vite transformer en enfer vos déplacements. Préférez si possible le tramway, récent et donc beaucoup mieux pensé.

## ☑ À savoir

▶ La ville a lancé un City Pass enfant, pour les 7-15 ans, au tarif de 16 € pour 24h et 19 € 48h (voir p.155).

▶ Durant les vacances scolaires, l'office du tourisme organise des visites et sorties ludiques pour les 6-12 ans.

▶ Tous les étés, dans le cadre de l'opération "L'été, du sport pour tous", les enfants (et les adultes) peuvent s'initier à de nombreuses activités sur les plages du Prado et des Catalans, au tarif unique de 2 €.

Le parc Borély, idéal pour faire prendre l'air à ses bambins

## Pour se défouler

Faire voler son cerf-volant sur les plages du Prado (p. 80)

Piquer une tête aux Catalans ou au Prophète (p. 108, 109)

Une minicroisière sur le ferry-boat (p. 33)

Une voiture à pédales au parc Borély (p. 79)

Une découverte des calanques en kayak (p. 123)

## Les musées les plus ludiques

Le préau des Accoules (p. 52)

Le Muséum d'histoire naturelle (p. 89)

Le musée d'Arts africains, océaniens, amérindiens (p. 49)

## Les plus beaux parcs

Le parc Borély (p. 79)

Le parc Longchamp (p. 89)

Le jardin de la colline Puget (p. 78)

Le parc Pastré (p. 112)

Le jardin Valmer (p. 109)

## Pour faire de jolis rêves

Les jolis contes à La Baleine Qui Dit "Vagues" (p. 70)

Les histoires du Badaboum Théâtre (p. 42)

Les livres de l'Alcazar (p. 96)

## Les boutiques

Les **Minots de Marseille** (☑ 04 96 11 00 16 ; 26 pl. aux Huiles, 1er ; ⏰ lun-sam 10h 19h). Un joli magasin de jouets qu'on ne présente plus.

La **Sardine à Paillettes** (☑ 06 18 31 46 04 ; 9 rue de la Tour, 1er ; ⏰ lun 14h-19h, mar-sam 10h30-13h30 et 14h30-19h). Pour les enfants et leurs mamans, une sélection d'objets de décoration, de doudous, d'habits, etc.

# Envie de...
## Shopping

BASILE VAILLANT ©

Pour attirer les visiteurs, Marseille a principalement misé sur le tourisme. Un accord signé avec les partenaires sociaux a même instauré l'ouverture dominicale dans le centre-ville. Reste que l'initiative a eu un peu de mal à décoller : les Marseillais ayant encore beaucoup le réflexe de faire leurs emplettes dans les zones commerciales périphériques.

Petit décodage de Marseille, la commerçante, qui a su garder la tête froide en matière de prix.

**Centre-Bourse – rue Paradis – rue Saint-Ferréol**
Le cœur marchand de la ville palpite dans le secteur délimité par la rue de Rome à l'est, la rue de Breteuil à l'ouest, la Canebière au nord et la place Castellane au sud. Le Centre-Bourse (hébergeant la Fnac), prolongé par la rue Saint-Ferréol (piétonne), rassemble les enseignes de grandes chaînes. Le secteur de la rue Paradis regroupe, lui, des boutiques plus huppées.

**La Plaine** Du cours Julien à la place Jean-Jaurès, ce quartier "artiste" accueille plutôt des enseignes alternatives pleines d'originalité : librairies, épiceries, boutiques de mode et de décoration.

**Belsunce et Noailles** Ces deux secteurs, situés de part et d'autre de la Canebière, de la rue d'Aubagne ou des Halles-Delacroix, sont le fief des échoppes très bon marché. Ce quartier a des allures de souk oriental et fait la part belle aux denrées alimentaires, avec de nombreuses épiceries exotiques.

**Voûtes de la Major et Terrasses du Port** Encore en travaux lorsque nous bouclions ce guide, ces deux nouveaux espaces commerciaux à venir amenaient à se questionner sur la capacité de la ville à faire vivre autant de boutiques.

## Les plus beaux marchés

Le poisson sur le quai de la Fraternité (tlj ; p. 43)

Les fleurs à la Plaine (mer), sur le Vieux-Port (mar et sam) et au Prado, (ven ; p. 85)

Les fruits et légumes à Noailles (p. 63), au Prado (lun-sam) et à la Plaine (lun-sam)

Les vêtements et accessoires à la Plaine (le mardi, le jeudi et le samedi) et au Prado, du lundi au samedi (p. 85)

Les produits bio sur le cours Julien (mer ; p. 66)

## Pour faire le plein d'épices

Arax et la rue Longue-des-Capucins à Noailles (p. 63)

# Envie de...
## Savon de Marseille

Au moment où l'on ne jure que par le bio et le tout naturel, le savon de Marseille, lui, semble avoir été toujours tendance ! Pour être certifié "vrai de vrai", il doit contenir 72% d'huiles végétales (olive, coprah, palme...), pourcentage estampillé sur chaque cube, mais aucun colorant ni adjuvant de synthèse, ce qui lui confère ses vertus hypoallergéniques.

Son histoire remonte à la nuit des temps, ou plus exactement au XIVe siècle. Les premières savonneries industrielles apparaissent alors, les techniques se perfectionnent, l'hygiène et la médecine font un grand pas en avant, et le savon de Marseille avec ! En 1709, la ville compte ainsi une vingtaine de savonneries qui tournent à plein régime. Mais tout âge d'or a une fin... L'arrivée, au XXe siècle, des détergents américains et des machines à laver, va exalter les ménagères et précipiter le déclin du cube marseillais. Aujourd'hui, seuls quelques irréductibles perpétuent la tradition en le fabriquant dans les règles de l'art. Ils ne parviennent pas cependant à se mettre d'accord sur la définition d'un label commun pour se protéger de la concurrence étrangère.

BASILE VAILLANT©

### Acheter du savon

Marine Savonnerie (p. 59)

Au Savon de Marseille (p. 43)

### Visiter une savonnerie

La Licorne (p. 73)

# Envie de...
# Vie nocturne

La *movida* marseillaise est bel et bien un mythe, au sens d'une animation générale des places et des rues dès la tombée de la nuit. Oui, la ville bouge, mais par secteurs et dans des lieux bien précis.

Pour faire simple et un peu caricatural, la Plaine et ses alentours attirent les artistes, intellos, babas et bobos ; le Vieux-Port et le bord de mer ciblent à la fois les touristes et les jeunes branchés un peu m'as-tu-vu. Mais attention, tout ce petit monde circule : quel que soit son style, on peut aller boire l'apéro sur le port, manger un bout sur le cours "Ju" et finir la nuit vers les plages. C'est ça, Marseille, ouverte et complexe. Côté culture, sachez que les Marseillais vont plus facilement au resto et dans les bars qu'au théâtre ou à l'opéra. Certains vont en frémir, mais c'est une réalité...

© BASILE VAILLANT

## Faims de nuit

Le Mas de Lulli (p. 37)

O'Stop (p. 36)

La Part des Anges (p. 41)

## Bars de début de soirée

Polikarpov (p. 40)

Le Barberousse (p. 39)

Le Petit Pavillon (p. 111)

Le Bistrot Plage (p. 111)

Le Petit Longchamp (p. 99)

Le Petit Pernod (p. 65)

Le Bar de la Plaine (p. 65)

## Bars de nuit

L'Endroit (p. 39)

Montana Blues (p. 71)

L'Art Haché (p. 71)

## Clubs

Le Trolleybus (p. 42)

Le Cubaïla Café (p. 71)

Le Taxi-Brousse (p. 58)

Le Bazar (p. 83)

Sport's Beach Café (p. 83)

## Les adresses excentrées

**L'Affranchi** (☎ 04 91 35 09 19 ; 212 bd Saint-Marcel, 11e). Pour les fans de rap et de hip-hop.

**Le théâtre du Merlan** (www.merlan.org ; av. Raimu, 14e). Danse et théâtre contemporains.

**La Mare au Diable** (www. lamareaudiablemarseille. fr ; 1 chemin Bon-Rencontre, Plan-de-Cuques). Bar gay.

**Spartacus Club** (www. spartacus-club.com ; La Malle, Cabries). Bar gay.

# Envie de...
# **Se baigner**

Avec une façade maritime extraordinairement plurielle, se déroulant sur plus d'une cinquantaine de kilomètres, chacun trouvera baignade à son pied. Si choisir son lieu peut être une question d'humeur ou de tradition, voire de météo, c'est en tout état de cause un véritable art de vivre... De plus, la plupart de ces endroits sont facilement accessibles en transports publics.

BASILE VAELANT©

## Pour les envies de nature

Les îles du Frioul (p. 28)

La Côte Bleue (p. 128)

Les criques des Goudes (p. 113)

Les calanques (p. 116)

## Sable

Les Catalans (p. 108)

La plage du Prophète (p. 109)

Borély (p. 79)

La Pointe Rouge (p. 113)

## En famille

La plage des Laves à l'Estaque (p. 128)

Les Catalans (p. 108)

La piscine du vallon des Auffes (p. 108)

La plage du Prophète (p. 109)

Le Prado (p. 80)

La Pointe Rouge (p. 113)

## Entre copains

Malmousque (p. 106)

La plage de la Verrerie (p. 113)

## Gay

Le Montrose (p. 113)

Les Pierres tombées à Sugiton (p. 119)

## Rochers

Malmousque (p. 106)

Les calanques (p. 116)

# Envie de...
# **Traditions**

PATRICK GHERDOUSSI©

Marseille est très attachée à ses traditions, surtout à Noël. Même si certaines ont subi quelques adaptations (l'aïoli et le poisson bouilli ont rarement du succès le 24 décembre !), elles ont su conserver dans l'ensemble une belle vigueur. En dehors de ces rites ancestraux, d'autres, moins conventionnels, sont tout aussi essentiels à connaître pour se sentir ici comme une sardine dans l'huile...

À la **Sainte-Barbe**, le 4 décembre, on sème dans une soucoupe garnie de coton des grains de blé ou des lentilles. Cette verdure, qui pousse très rapidement en intérieur, annonce richesse et prospérité pour l'année à venir. À vous donc d'y apporter tout le bien que vous souhaitez à votre porte-monnaie ! Le blé et les lentilles germées servent de décoration sur la table de Noël.

Installée dans un coin de la maison le premier dimanche de l'avent ou pour la Saint-Nicolas, la **crèche** y demeurera jusqu'à la Chandeleur. Le décor est composé de bûches, de feuillages, de mousse, de papier rocher et de petits cailloux où prennent place les **santons** en argile décorés à la main. Si l'on vous traite de "ravi", vous êtes en droit de le prendre mal, puisque ce sera une allusion au santon-tronc aux bras levés, personnifiant l'idiot du village...

Le soir de Noël, avant de partir pour la messe de minuit, on se réunit autour du **gros souper**, un repas maigre sans viande qui comprend l'aïoli (mayonnaise à l'ail et à l'huile d'olive) accompagné de morue, de légumes bouillis et d'œufs durs, mais aussi les cardes ou le gratin d'épinards (le foie gras et la dinde sont aujourd'hui plus d'actualité). Le repas se termine par les **treize desserts**, parmi lesquels la pompe à l'huile, ou gibassier, le nougat blanc et noir,

☑ **À savoir**

▶ Marseille serait le berceau des santons, mais Fontvieille, Le Paradou et Aubagne (Bouches-du-Rhône), Gréoux-les-Bains (haute Provence), Fontaine-de-Vaucluse, Brantes, Ansouis et Séguret (Vaucluse) sont aussi des centres réputés de l'artisanat santonnier.

Les santons, symboles de la culture provençale

les dattes et les quatre *mendiants* (figues sèches, raisins secs, amandes et noisettes).

**La Pastorale** est une pièce de théâtre évoquant la Nativité, jouée en langue provençale ou en français en décembre et janvier, au cours de laquelle interviennent de nombreux personnages comme les bergers, le rémouleur, le boumian ou le pistachier, interprétés dans certains villages par les commerçants du cru.

À la **Chandeleur**, le 2 février, on monte aux aurores vers l'abbaye Saint-Victor pour célébrer la fête de la Lumière. À cette occasion, la Vierge noire est sortie de sa crypte pour une procession suivie par des fidèles portant un cierge vert. En passant devant le four aux navettes, l'archevêque bénit les navettes que l'on savoure pendant toute la semaine.

**L'œil de sainte-Lucie**, un opercule en nacre orangée, provient d'un coquillage appelé *biou*. Les pêcheurs le conservent dans leur portefeuille comme porte-bonheur. Il se porte aussi comme bijou protecteur. On le trouve le matin sur le marché aux poissons du quai des Belges pour quelques euros selon la pêche.

### Les plus beaux santons

La Foire aux santons (p. 17)

### La Chandeleur

Les Navettes des Accoules (p. 59)

L'Abbaye Saint-Victor (p. 34)

### Desserts de Noël

La boulangerie Chez Michel (p. 44)

# Envie de...
# Plonger à Marseille

La cité phocéenne compte des sites exceptionnels et très variés, dans un cadre magique – celui des îles au large de la rade et près des calanques – et bénéficie d'une richesse sous-marine inégalée sur le littoral méditerranéen. Par ailleurs, de nombreuses épaves facilement accessibles, renforcent l'attrait de ce secteur. Des structures de qualité accueillent les plongeurs de tous niveaux. La température de l'eau oscille entre 12°C au cœur de l'hiver et 23°C à la fin de l'été. La meilleure saison s'étend de juillet à novembre, avec l'accord du mistral.

J.-M. MILLE ©

**Le Dalton** (-12/-32 m) au Planier

**Le Chaouen** (-3/-26 m) au Planier

**Le Messerschmitt** (-45 m) au Planier

**La Pierre à la Bague** (-40 m) au Planier

**Le Liban** (-25/-36 m) à l'île Maïre

**Les Farillons** (-25/-40 m) à l'île Maïre

**La Grotte à Corail** (-15 m) à l'île Maïre

**La Pierre de Briançon** (-20 m) dans l'archipel de Riou

**Le Grand Congloué** (-30/-60 m) dans l'archipel de Riou

**Les Impériaux** (-25 m maxi) dans l'archipel de Riou

**Le Miquelon** et **la Drôme** (-50 m env.) à la Madrague de Montredon

**Le Tiboulen** (-5 à -42 m) au Frioul

## Les meilleurs clubs

**Grasm** (☎ 04 91 59 37 00 ; www.grasm-plongee.com ; 35 anse du Pharo, 7ᵉ ; baptême 42 €). Embarquement : anse du Pharo.

**Archipel** (☎ 04 91 25 23 64 ou ☎ 06 09 52 37 12 ; www.plongee-marseille.com ; port de la Madrague-Montredon, 8ᵉ ; baptême 70 €). Embarquement port de la Madrague-Montredon.

**Centre de loisirs des Goudes** (☎ 04 91 25 13 16 ; www.goudes-plongee.com ; 2 bd A.-Delabre, 8ᵉ ; baptême 60 €). Embarquement : port des Goudes.

**Aqua Évasion** (☎ 06 12 54 10 99 ; www.aqua-evasion.com ; 31 av. Jean-Bart, Carry-le-Rouet ; baptême 51-100 €).

**Plongée Passion Carry** (☎ 04 42 45 08 00 ; www.plongee-passion-carry.com ; 12 bd Lieutenant-Jean-Valensi, Carry-le-Rouet ; baptême 60 €).

**Côte Bleue Plongée** (☎ 04 42 45 42 42 ; www.cote-bleue-plongee.com ; les marines du port, Sausset-les-Pins ; baptême 68 €).

**Centre cassidain de plongée** (☎ 04 42 01 89 16 ; www.centrecassidaindeplongee.com ; 3 rue Michel-Arnaud, Cassis)

# Envie de...
# **Pétanque**

Le jeu de boules, que l'on suppose dérivé du jeu de quilles, remonterait à la fin du XVIIIe siècle et a connu en Provence un engouement croissant, jamais démenti jusqu'à nos jours. À Marseille, vous verrez de nombreux boulodromes où viennent en découdre des pétanqueurs.

Il ne faut pas confondre boule et pétanque. Le jeu de boules, également appelé "jeu provençal", ou "longue", est très technique, car il se dispute sur une distance plus longue, de 15 à 21 m. Les joueurs sont autorisés à bouger avant de lancer la boule. La pétanque aurait été inventée plus tardivement, au début du XXe siècle. Contrairement à la longue, elle se joue *a pié tanca* (les pieds plantés), sur un terrain plus petit (11 m au maximum). Avec des boules métalliques d'environ 720 g pour 8 cm de diamètre, il s'agit de "pointer", autrement dit de placer la boule le plus près possible du cochonnet. Déloger la boule de l'adversaire en la remplaçant par la sienne ("faire un carreau") est un coup de maître ! Et puis sachez que l'expression "embrasser Fanny" n'est malheureusement pas une récompense. Cela signifie plutôt perdre une partie sans avoir marqué un seul point !

### Les meilleurs tournois

Le mondial La Marseillaise à Pétanque (p. 16)

Le Provençal (p. 16)

# Envie de...
# **Vivre à la marseillaise**

Ici, on flirte sans cesse avec les clichés, même si tout cela fait évidemment partie du jeu. Pour appréhender la cité phocéenne, abandonnez vos repères et oubliez vos préjugés. Voici cependant quelques clés sociologiques pour vous aider à mieux appréhender la vie à la marseillaise !

BASILE VAILLANT©

Le Marseillais type a la **tchatche** : il aime parler fort en agitant ses mains, *s'engatser* avec un collègue, de préférence en public. Liée à la tchatche, la **drague** est la discipline olympique locale. Les filles sont dévisagées de la tête aux pieds quand elles marchent dans la rue et ne sont bien vite plus étonnées d'entendre un lancinant "chaaaaarmante !" sur leur passage. Un conseil : souriez et ayez de l'humour, le Marseillais se laisse facilement désarçonner !

On croise facilement la **cagole** et le **cacou**, ces deux figures emblématiques de la ville, rue Saint-Ferréol, le samedi après-midi, en train de faire les boutiques en groupe. La cagole, pas très distinguée et toujours à la pointe de sa mode, reste néanmoins sympathique. Son binôme, appelé aussi *mia* (révélé au pays tout entier grâce au tube d'IAM *Je danse le mia*), est un frimeur gominé qui roule en 206 coupé. Avec l'âge, cagole et càcou ne vieillissent malheureusement pas très bien.

En ce qui concerne la **conduite**, l'important ici n'est pas de connaître le code de la route mais de hurler plus fort que les autres conducteurs. Une précision aussi : sur la route, l'orange est considéré comme un dégradé du vert, mieux vaut donc faire attention en traversant.

En général, une relative saleté saute aux yeux des touristes : les poubelles débordent, frigos et matelas sont déposés sur le trottoir, et il n'est pas rare qu'un vieux papier gras jeté de la fenêtre d'une voiture atterrisse à vos pieds.

## **Les plus belles concentrations de cagoles**

La rue Saint-Ferréol (p. 83)

Le Bazar (p. 83)

Le Sport's Beach Café (p. 83)

Le Bistrot Plage (p. 111)

Mary-Jane (p. 101)

Les Marseillais partent d'un principe simple : au nord d'Avignon, c'est déjà le Nord, et celui qui y habite est un *estranger*. Mais on peut très vite être adopté à condition d'être décontracté, de sourire et de ne pas critiquer l'OM ! Inutile cependant de prendre l'accent pour hâter votre intégration, ce louable effort se retournerait immédiatement contre vous.

## Le parler marseillais

Voici un petit lexique de quelques termes répandus qui vous permettra de mieux comprendre certaines discussions.

**blanquinas** – à la peau très blanche ("T'as vu comme il est blanquinas ?")

**Bonne Mère** – interjection courante en début de phrase

**boufer** – souffler (en parlant du vent)

**bouléguer** – bouger, se remuer

**cacou, quèque** – petit frimeur, le look à l'avenant

**cafi** – plein ("il est cafi de sous")

**cafoucho** – débarras, endroit minuscule

**cagade** – littéralement "gros caca", énorme bêtise

**encagnarder** (s') – se prélasser au soleil

**cagole** – fille vulgaire au look à l'avenant, mais néanmoins sympathique

**caguer** – "ça me fait caguer, ce travail" ou "je m'en cague de lui" (j'en ai rien à faire, de lui)

**chaler** – prendre quelqu'un sur son scooter ou son vélo

**choper (se)** – se disputer

**con** – à la fin d'une phrase, pour souligner le propos ("j'étais estransiné, con !")

**dégun** – personne ("y avait dégun")

**emboucaner** – "embrouiller" quelqu'un ou, littéralement, puer

**empéguer (s')** – s'empêtrer (dans une affaire), également empégué : soûl

**engatser (s')** – se disputer, s'énerver ; engatse : problème

**ensuqué** – lent à réagir, "bouché"

**escagassé** – éreinté, laminé

**estranger** – un non-Marseillais

**estransiné** – ratatiné (de peur, de froid)

**fada** – littéralement "habité par les fées", demeuré

**fan** – diminutif du mot "enfant" : "fan de pute, fan de chichourle"

**fache de con !** – face de con, tête de con ; variante de "putain de con"

**galéjade** – une plaisanterie exagérée

**jobastre** – jobard

**mèfi** – attention

**oaï** – ambiance de grand désordre, bordel

**pastaga** – pastis

**pescadou** – pêcheur

**pechère** ou **peuchère** – sert à exprimer la compassion : "Oh pauvre !"

**pitchoun** – enfant

**pointu** – petit bateau de pêche marseillais, en bois, souvent coloré

**radasse** – une cagole qui aurait très mal vieilli (se radasser : se traîner)

**tanqué** – bien fait, bien foutu, en parlant d'une personne

**tchatche** – art du bavardage, dont seraient friands les Marseillais

**tè** – interjection en début de phrase. Littéralement : "Tiens !"

# Marseille

## Hier et aujourd'hui

La bonne Grèce . . . . . . . . . . . . . . . . . 148

La rebelle du Sud . . . . . . . . . . . . . . 148

Marseille, porte de l'orient . . . . . . . . 148

Guerre et paix . . . . . . . . . . . . . . . . . 149

Et maintenant ? . . . . . . . . . . . . 149

Retour de pêche
EMMANUEL DAUTANT

## La bonne Grèce

Le bras de la belle Gyptis, fille du roi ligure Nann, ne trembla pas lorsqu'elle présenta la coupe au jeune marin grec Protis. Parti de Phocéa, cité d'Ionie (près de l'actuelle Izmir en Turquie) à la tête d'une modeste flotte, ce dernier venait d'accoster, quelque temps auparavant, afin d'établir des liens commerciaux. Par cette offrande, l'union de ces âmes pures fut scellée et devait marquer à jamais le destin de ce lieu : telle une déesse maternante, Massalia, ville née d'une idylle, accueille ainsi dans le giron protecteur de sa rade, depuis plus de vingt-six siècles, conquérants, négociants et émigrés de tous horizons. Cette tradition de commerce et d'accueil, renouvelée au gré des vents de l'Histoire, se doubla vite d'un certain esprit frondeur face aux tentatives d'ingérence du pouvoir central.

## La rebelle du Sud

Que ce soit face aux Romains, aux barbares, aux comtes de Provence ou aux rois de France dès 1481, la ville a toujours su jouer entre alliance et soumission afin de conserver son statut privilégié. Ainsi, le Roi-Soleil, pour rappeler à l'ordre cette dissidente, dut occuper le port en donnant symboliquement du canon contre les remparts. S'il fit bâtir ensuite les deux citadelles du fort Saint-Nicolas et du fort Saint-Jean, c'était, certes, pour protéger la cité d'incursions extérieures, mais ces fortifications permettraient éventuellement aussi de tenir en respect… les Marseillais ! En outre, l'essor commercial s'affirmant, Louis XIV donnera à cette ville portuaire de première importance un visage prestigieux. Témoins de cette période faste : le cours de Marseille (l'actuel cours Belsunce), un temps le plus beau cours d'Europe, le splendide hospice de la Charité et l'hôtel de ville. Le port est alors le troisième d'Europe et assure un rôle commercial de premier plan en Méditerranée. Marseille négocie avec les Antilles, l'Inde, l'Extrême-Orient et les Amériques.

## Marseille, porte de l'Orient

La période révolutionnaire et le Premier Empire isoleront durant plusieurs décennies le port, qui renouera avec la prospérité à partir du milieu du XIX$^e$ siècle. Le chemin de fer arrive en 1848 et un canal apporte l'eau depuis la Durance. De grands travaux de voirie et d'urbanisme sont lancés : le palais Longchamp, le palais de la Bourse, la cathédrale de la Major ou encore Notre-Dame-de-la-Garde. Enfin, avec l'ouverture du canal de Suez en 1869, Marseille se voit gratifiée du surnom de "porte de l'Orient". L'empire colonial assurera longtemps d'intenses débouchés économiques à la cité. Le reporter Albert Londres décrit ainsi, en 1927, Marseille comme "la cour d'honneur d'un imaginaire palais du commerce extérieur". Le somptueux escalier de la gare Saint-Charles est même édifié à la gloire des colonies. Qui dit trafic marchand

et industrialisation, dit main-d'œuvre et immigration à grande échelle.
L'âge d'or de la ville a pour corollaire l'émergence d'une importante classe
prolétarienne. Les dockers, considérés comme des bêtes de somme, seront
particulièrement actifs dans les revendications des luttes ouvrières de l'époque.
L'entre-deux-guerres sonnera le début du déclin de l'économie phocéenne. Et
c'est dans ce contexte qu'intervient le choc de la Seconde Guerre mondiale.

## Guerre et paix

Les Allemands occupent Marseille à la fin de 1942, et Hitler ordonne la
destruction de la vieille ville (le Panier) en janvier. Jugé dangereux par les nazis,
ce quartier abritait à l'époque des prostituées, des étrangers et la frange la plus
pauvre de la population. Cet événement tragique a durablement marqué les
consciences. La Libération intervient au cours de l'été 1944. En 1953, Gaston
Defferre est élu maire. Personnage d'envergure, il marquera la vie politique
locale jusqu'à sa mort, en 1986.

## Et maintenant ?

Aujourd'hui, une centaine de communautés issues des quatre coins de la
planète coexistent plutôt sereinement grâce, en partie, à un réseau associatif
très dynamique. La ville compte un peu plus de 860 300 âmes et a cessé de
perdre des habitants, phénomène préoccupant depuis les années 1970. Les titanesques
travaux d'urbanisme du secteur Euroméditerranée (voir p. 55) puis ceux
engagés dans le cadre de Marseille-Provence 2013 ont accéléré la mutation de
son centre. Y aura-t-il un effet ville européenne de la culture, comme il y a eu
par le passé un effet TGV ? La question reste entièrement ouverte tant la ville
souffre de fortes disparités sociales. L'échelle des niveaux de fortune s'étage
ici de 1 à 14, les quartiers nord populaires coexistent avec les collines huppées
au-dessus de la Corniche. Plus encore, faute d'avoir su construire une métropole
cohérente, Marseille ne tire pas profit de son environnement industriel, et
aucun schéma cohérent de transports n'existe à ce jour au niveau du territoire.
Le sujet de la métropole est devenu priorité nationale. Il est porté par l'État qui
tente tant bien que mal de l'imposer aux élus locaux. Tous ces sujets seront, à
n'en pas douter, au cœur des problématiques des élections municipales de 2014.

LIGNE DU FERR

PLACE AUX HUILES - M

# Carnet pratique

**Transports** 152
Aller à Marseille.................... 152

**Circuler à Marseille** 153
Transports en commun........... 153
Vélo.............................. 153
Ferry-boat....................... 154
Navettes maritimes .............. 154
Circuits organisés ............... 154
Taxis............................ 154
Location de voiture .............. 154

**Infos utiles** 154
Dangers et désagréments........ 154
In situ.......................... 154
Internet ........................ 155
Où trouver du Wi-Fi ............. 155
Office du tourisme .............. 155
Réductions...................... 155

**Hébergement** 156

Le ferry-boat relie les deux rives du port
BASILE VAILLANT©

# Carnet pratique

## Transports

### Aller à Marseille

#### Bus

➡ La gare routière
(☎ 04 91 08 16 40 ; www.
lepilote.com) se trouve
à deux pas de la place
Saint-Charles, au 3 rue
Honnorat. De là, une
quinzaine de compagnies
régionales de bus
desservent l'ensemble
des villes du département,
ainsi que les Alpes du Sud
(Barcelonnette, Briançon,
Digne, Gap), Avignon,
Grenoble et Toulon.

#### Train

➡ La gare Saint-Charles,
désormais spacieuse et
pratique, accueille des
trains en provenance
de toute la France. Des
trains directs partent de la
plupart des grandes villes :
on rallie ainsi Marseille
en 4 heures 30 depuis
Lille, 3 heures depuis
Paris, 6 heures 30 depuis
Bordeaux, 4 heures depuis

### Bon à savoir

Si vous devez attendre à la gare, un nouvel
espace s'est ouvert au niveau du quai A, où
l'on peut s'installer librement et piocher un
livre dans la grande bibliothèque, déguster un
cupcake, divertir les enfants dans un coin qui
leur est dédié, et même acheter un bouquet
thématique (Canebière, Panier, Belsunce, etc.).
Ouvert tous les jours de 7h à 19h.

Toulouse, 1 heure 40
depuis Lyon. Informations
et réservations sur www.
voyages-sncf.com ou au
☎ 3635. Des idTGV et
le nouveau train low-
cost Ouigo desservent
Marseille au départ de
Paris (et de Marne-la-
Vallée pour le second).

#### Voiture

➡ Marseille est à 770 km
(7 heures 30) de Paris
par l'A6, puis l'A7, à
316 km (3 heures) de
Lyon par l'A7, à 1 000 km
(9 heures 30) de Lille
par l'A1, l'A6 puis l'A7, et à
647 km (6 heures 15) de
Bordeaux par l'A62, l'A61,
l'A9, puis l'A55. Genève est

à 463 km (4 heures 40)
de Marseille.

#### Avion

➡ L'aéroport de Marseille-
Provence (☎ 04 42 14 21 14 ;
www.marseille.aeroport.fr)
est situé sur la commune
de Marignane, à 25 km
au nord-ouest de la
ville. Le terminal low
cost Mp2 (www.mp2.
aeroport.fr) permet de
partir à prix cassés vers
une quarantaine de
destinations en France,
en Europe et au Maroc,
ainsi qu'une douzaine de
destinations long-courrier
(notamment le Canada).

➡ Une navette
(☎ 0810 00 35 66 ; www.

navettemarseilleaeroport.com) relie toutes les 15 à 20 minutes l'aéroport et la gare Saint-Charles, de 4h30 à 0h10. (25 min environ ; 8 € l'aller simple).

➡ Une carte (23,40 €) combine navette et transports en commun à Marseille pendant une semaine. En taxi, comptez en moyenne 45 € (le jour) et 60 € (la nuit).

# Circuler à Marseille

### Transports en commun

Ils sont gérés par la Régie des transports marseillais (www.rtm.fr). Un ticket, valable 1 heure, coûte 1,50 €. La carte "Pass 24h" ou "Pass 72h", à 5 € et 10,50 €, permet par exemple de voyager sans limitation sur l'ensemble du réseau. Un Pass spécial a été mis en place pour Marseille-Provence 2013, qui permet d'accéder à l'ensemble des réseaux de transport en commun du territoire de la capitale européenne de la culture. Il existe avec un aller-retour navette

aéroport (30 € les 48h et 38 € les 72h) et sans (13 € les 24h, 21 € les 48h et 31 € les 72h).

En temps normal, les deux lignes de métro fonctionnent de 5h à 22h30 du lundi au jeudi, et jusqu'à 0h30 du vendredi au dimanche (et les jours des matchs de l'OM !). Pour 2013, à compter du 1er avril, il fonctionnera jusqu'à 1 heure du matin tous les jours !

Le tramway circule de 5h à 1h sur deux lignes : Blancarde/Arenc-Le Silo et Les Caillols/Noailles. Au printemps 2014, une troisième ligne doit être inaugurée, entre Arenc-Le Silo et Castellane.

Les bus fonctionnent de 5h à 21h30. Ensuite, un réseau de nuit appelé Fluobus prend le relais.

Pour découvrir Marseille en bus : le n° 60 va du Vieux-Port à Notre-Dame-de-la-Garde (en 2013, son itinéraire est prolongé jusqu'au MuCEM et sa fréquence renforcée) ; le n° 83, qui part de la Joliette, passe par le Vieux-Port et longe la Corniche avant de bifurquer vers le rond-point du Prado (le David) ; les bus nos 19 et 20, qui prennent le relais du n° 83 au David, vous mènent au bout de la

route des Goudes ; le n° 21 transporte les marcheurs de la Canebière au campus de Luminy, point de départ de randonnées dans le massif des Calanques. Quant à la nouvelle ligne 82 S, elle part de la gare Saint-Charles et permet de se rendre aux Catalans.

### Vélo

Comme Paris et d'autres grandes villes, Marseille possède son réseau de vélos en libre-service. Deux formules : un ticket sept jours (1 €, première demi-heure gratuite, puis 1 € l'heure) ou un abonnement annuel (5 €, première demi-heure gratuite puis 0,50 € l'heure). Allez savoir pourquoi, l'emprunt ne se fait que de 6h à minuit (☎ 0800 801 225 ; www.levelo-mpm.fr).

> ## Bon à savoir
> Le site Internet www.lepilote.com est très pratique pour calculer ses itinéraires en bus et en métro, et connaître les embouteillages si vous circulez en voiture.

## Ferry-boat

Pour traverser le Vieux-Port dans sa largeur, de la place aux Huiles à la mairie, ne vous privez pas d'une minicroisière gratuite à bord du ferry-boat.

## Navettes maritimes

En haute saison, une navette maritime fonctionne tous les jours entre Vieux-Port et Pointe-Rouge, et Vieux-Port et Estaque. Traversée : 2,50 €.

## Circuits organisés

Des bus à impériale (www.marseillelegrandtour. com), desquels on peut descendre et monter à son gré, sillonnent la ville. C'est le "grand tour" avec 13 arrêts possibles et un commentaire en 5 langues (18 € 1 jour, 21 € 2 jours, 5 € pour les enfants de 4 à 11 ans). Un minibus cabriolet, le "City Tour", propose pour sa part une découverte audioguidée de 2 heures des sites incontournables de la ville, au départ du Vieux-Port (18 €, réservations auprès de l'office du tourisme).

Deux petits trains touristiques (☎ 04 91 25 24 69 ; www.petit-train-marseille. com) desservent, d'avril à mi-novembre, le "Vieux Marseille" (6/3 €), ou partent à l'assaut de Notre-Dame-de-la-Garde, toute l'année (7/4 €).

## Taxis

Un numéro unique (☎ 0811 46 90 90) a été mis en place pour joindre l'une des 33 bornes de taxis de la ville, ce qui permet de commander un taxi proche de votre lieu de départ. Vous pouvez également contacter directement les centrales suivantes :

➜ **Les Taxis Marseillais** (☎ 04 91 92 92 92)

➜ **Taxis Radio Marseille** (☎ 04 91 02 20 20)

## Location de voiture

### À l'aéroport

➜ **Avis et Budget** (☎ 0 820 611 639)

➜ **Europcar** (☎ 04 42 14 24 75)

➜ **Hertz** (☎ 04 42 14 34 66)

➜ **National Citer** (☎ 04 42 14 24 90)

➜ **Sixt** (☎ 04 42 14 35 30)

### À la gare Saint-Charles

➜ **Avis** (☎ 04 91 64 71 00)

➜ **Europcar** (☎ 04 91 10 74 90)

➜ **Hertz** (☎ 04 91 05 51 20)

➜ **Rent a Car** (☎ 04 91 05 90 86)

# Infos utiles

## Dangers et désagréments

Rassurez-vous, même si la cité phocéenne se traîne ces derniers temps de nouveau une mauvaise réputation, on n'en est pas non plus revenu à l'époque de Marseille-Chicago et de la French Connection. À moins de circuler la nuit dans une ruelle obscure, votre montre en or au poignet et votre appareil photo en bandoulière, vous ne risquez pas grand-chose. Avec le cours de l'or à la hausse, veillez cependant à ne pas vous balader avec des bijoux trop voyants au cou. Soyez prudent mais détendu : Marseille est certes une grande ville mais pas plus dangereuse qu'une autre.

## In situ

Cet agenda gratuit répertorie tous les mois les événements culturels de la ville à ne pas manquer. Il est disponible notamment à l'**Espace culture** (☎ 04 96 11 04 60 ; 42 la Canebière, 1er) ou à l'office du tourisme.

## Internet

➡ **www.marseille-tourisme.com** : site de l'office du tourisme de la ville.

➡ **www.marseille.fr** : site de la municipalité.

➡ **www.visitprovence.com** : site du Comité départemental du tourisme.

➡ **www.mp2013.fr** : site officiel de Marseille Provence 2013

➡ **www.marseille2013.com** : site du Off de 2013

Moins officiels, ces sites peuvent être utiles :

➡ **www.waaw.fr** : infos culturelles sur le site du bistrot waaw

➡ **www.pacamomes.com** : activités pour les enfants en région

## Où trouver du wi-fi

➡ Green Bear Coffe (p.98)

➡ Longchamp Palace (p.92)

➡ Mama Shelter (p.65)

➡ La Caravelle (p.39)

➡ Oogic (p.65)

## Office du tourisme

L'**office du tourisme** (☎0826 500 500 ; www.marseille-tourisme.com ; 4 la Canebière, 1er ; ⏰lun-sam 9h-19h, dim et jours fériés 10h-17h ; Ⓜ Vieux-Port) organise des visites guidées à thème, en général à 14h. Inscription obligatoire auprès de l'office du tourisme ou sur le site www.resamarseille.com. Tarif : à partir de 9 €. Durant les vacances scolaires, des visites sont organisées pour les enfants de 6 à 12 ans. L'office du tourisme doit déménager courant 2013 au 11 la Canebière, dans les anciens locaux du musée de la Mode.

➡ **Pavillon M** (www.pavillon-m.com ; esplanade Bargemon, quai du Port, 2e ; ⏰tlj 10h-19h). Espace d'information dédié à Marseille-Provence 2013. Ouvert jusqu'au 31 décembre 2013.

## Réductions

En vente à l'office du tourisme, le City Pass inclut le transport illimité sur le réseau RTM, l'entrée dans les musées de Marseille, le bateau et une entrée au château d'If, le petit train touristique et certaines visites guidées de l'office. Il donne également accès à des réductions dans les magasins partenaires. Le Pass adulte pour 24 heures coûte 22 €, et 29 € pour 48 heures. Un pass a été mis en place pour les 7-15 ans (16 € pour 24h, 19 € pour 48h).

La formule l'Échappée belle (à partir de 58 €/pers./nuit sur la base d'une chambre double en hôtel deux étoiles) inclut de une à trois nuits dans la catégorie d'hôtel choisie, le petit-déjeuner et taxe de séjour et un City Pass valable 24 heures.

# Hébergement

Marseille a fait de gros progrès en matière d'hébergement et personne ici ne s'en plaindra ! Même si ce sont avant tout des hôtels de luxe qui se construisent les uns après les autres, et que tous les porte-monnaies ne sont malheureusement pas calibrés pour... Reste les maisons d'hôtes, nombreuses, attrayantes et souvent méconnues. En revanche, Marseille ne compte pas de camping. Si vous êtes de passage en 2013, sachez cependant que le Off en ouvre un éphémère, et arty, à l'Estaque.

# Hôtels

## Petits budgets

### ⊜ Hôtel Vertigo

📞 04 91 91 07 11 ; www.hotelvertigo.fr ; 42 rue des Petites-Maries, 1ᵉʳ ; ch à partager (2, 4 ou 6 pers., avec sdb privées), à partir de 19,90 €/pers en saison basse et 25,40 € en haute saison et les week-ends et 55 et 60 €/nuit selon saison ; (serviettes de toilette non fournies pour les ch à partager) ; 📶 ; Ⓜ Saint-Charles

C'est l'adresse sympa et internationale qui manquait ! Situé près de la gare, cet hôtel stylé, tenu par une équipe dynamique, abrite de charmantes chambres, collectives pour la plupart, dont certaines avec terrasse privative. Entre autres services : bar, cuisine et laverie. Le lieu a tellement de succès qu'un **Vertigo Vieux-Port** (📞 04 91 54 42 95 ; 38 rue Fort Notre-Dame, 7ᵉ ; ch à partager (2 à 6 pers.), à partir de 16,90 €/pers en saison basse et 26 € en

haute saison et les week-ends, d à partir de 50 et 60 €/nuit selon saison ; 📶) a ouvert ses portes. Même principe que son jumeau de Belsunce, mais ici, le petit-déjeuner est inclus et 4 des 25 chambres (2 à 6 pers) sont réservées aux filles.

### Hôtel Première Classe

📞 04 91 33 34 29/08 92 70 71 31 ; www.premiere-classe.com ; 13 rue Lafon, 6ᵉ ; s/d 58-62/58-66 € selon période, familiale 74 € ; ❄ Ⓟ 📶 ; Ⓜ Notre-Dame-du-Mont

Hôtel de chaîne, idéal pour les petits budgets. Les chambres n'ont rien d'extraordinaire, mais elles sont calmes et fonctionnelles. Petite touche de poésie pour celles des 6ᵉ et 7ᵉ étages, qui ont vue sur les toits. Quelques chambres familiales.

### Ibis Budget Vieux-Port

📞 08 92 68 05 82 ; www.ibis.com ; 46 rue Sainte, 1ᵉʳ ; s/d 61/71 €, familiale 86 € ; ❄ Ⓟ 📶 ; Ⓜ Vieux-Port

Emplacement exceptionnel et prix imbattables pour cet établissement en partie situé dans un bâtiment historique, l'ancien arsenal des galères du roi. Toutes les chambres ont été rénovées, dans le nouveau style Ibis Budget. Petites, mais fonctionnelles, les doubles peuvent accueillir jusqu'à 3 personnes, et les chambres du côté cours d'Estienne-d'Orves arborent pour certaines des poutres au plafond. Il y a également 2 chambres familiales de 4 personnes.

### Hôtel Peron

☎ 04 91 31 01 41 ; www.hotel-peron.com ; 119 corniche J.-F.-Kennedy, 7ᵉ ; côté mer 70-90/75-95€, côté cour s 70-75/75-90 € ; 🛜 ; bus nᵒ83

Dans les années 1960, un peintre de passage a décoré les chambres dans un style très rococo (vénitien, chinois...). Les baignoires sabots, leurs rascasses en céramique et la vue sur la mer font partie de leurs atouts, même si l'ensemble mériterait une sérieuse rénovation (pour le moment, seule la façade a été refaite).

### Hôtel Lutia

☎ 04 91 17 71 40 ; www.hotelutia.com ; 31 av. du Prado, 8ᵉ ; s/d 55-60/65-77 € ; ✳ ; Ⓜ Castellane

Une adresse faite pour les voyageurs ne disposant pas d'un très large budget. Dans ce petit hôtel familial sans prétention et bien tenu, toutes les chambres, simples, disposent d'un frigo.

## Catégorie moyenne

### Azur Hôtel

☎ 04 91 42 74 38 ; www.azur-hotel.fr ; 24 cours Franklin-Roosevelt, 1ᵉʳ ; s/d 64/69-79 € selon confort, familiale 110 €, réductions en réservant sur le Net ; ✳🛜 ; Ⓜ Réformés

Le petit jardin ombragé est sans conteste l'un des atouts des lieux. Ajoutez à cela un accueil chaleureux, des chambres dans l'ensemble décorées avec goût et des prix tenus, vous obtenez un deux-étoiles d'un bon rapport qualité/prix.

### Hôtel Lutetia

☎ 04 91 50 81 78 ; 38 allée Gambetta, 1ᵉʳ ; www.hotelmarseille.com ; s/d 65/72-86 € selon ch ; ✳🛜 ; Ⓜ Réformés

Stratégiquement situé entre les allées Gambetta et la Canebière, un hôtel doté d'une belle façade classique et classée. Ambiance marine pour certaines chambres, celles refaites plus récemment arborant une déco plus contemporaine.

### Le Ryad

☎ 04 91 47 74 54 ; www.leryad.fr ; 16 rue Sénac-de-Meilhan, 1ᵉʳ ; s/d 80-120/95-130 € selon ch et saison, ste 140-150 €, table d'hôtes 30 € ; ✳🛜 Ⓜ Réformés

Dehors, la rue triste et bruyante ; dedans, un voyage dépaysant et raffiné. Soit un hôtel de charme d'une dizaine de chambres mélangeant bois, fer forgé et étoffes colorées. Copieux petit-déjeuner à la marocaine servi dans le patio, qui fait aussi salon de thé tous les jours de 10h à 18h. Table d'hôtes sur réservation (à partir de 4 pers).

### Hôtel Relax

☎ 04 91 33 15 87 ; www.hotelrelax.fr ; 4 rue Corneille, 1ᵉʳ ; s/d 60/65 € ; ✳🛜 ; Ⓜ Vieux-Port

Bon rapport qualité/prix pour ce petit hôtel coquet. Les chambres sont un peu plus grandes côté rue, donnant sur l'Opéra.

### Hôtel du Sud

☎ 04 91 54 38 50 ; www.hoteldusud.com ; 18 rue Beauvau, 1ᵉʳ ; s/d 78-86/80-88 € selon période ; ✳🛜 ; Ⓜ Vieux-Port

Un petit nid en plein quartier animé. Faute de place, le petit-déjeuner est servi dans les chambres, aux couvre-lits colorés et assortis aux rideaux.

## Hôtel Hermès

📞 04 96 11 63 63 ; www.hotelmarseille.com ; 2 rue Bonneterie, 2e ; s/d 52-60/74-98 €, ch avec terrasse 94-130 € ; ❄️🛜 ; Ⓜ Vieux-Port

Depuis sa rénovation, cet hôtel offre un très bon rapport qualité/prix. Des notes de couleur vert anis ou rouge orangé viennent habiller les chambres au sobre mobilier. Le plus : les quelques chambres avec terrasse privative... et vue sur la "Bonne Mère". Toit-terrasse.

## Hôtel Alizé

📞 04 91 33 66 97 ; www.alize-hotel.com ; 35 quai de la Fraternité, 1er ; ch vue mer 98-128 € selon saison, ch vue cour 79-109 € ; 🛜❄️ ; Ⓜ Vieux-Port

Quelle vue en ouvrant sa fenêtre au petit matin ! Les chambres situées côté Vieux-Port, à l'élégant mobilier provençal patiné, sont certes plus chères mais valent sans conteste le détour. Au dernier étage, vous profiterez en plus d'un tout petit balcon.

## Hôtel Saint-Ferréol

📞 04 91 33 12 21 ; www.hotel-stferreol.com ; 19 rue Pisançon, 1er ; ch 80-105 € selon cat. ; ❄️@🛜 ; Ⓜ Vieux-Port

Situé à l'angle de la principale rue piétonne de la ville, ce petit trois-étoiles est à la hauteur de sa réputation. L'ambiance des chambres est douillette et feutrée. Côté déco, Van Gogh, Manet ou Gauguin ont inspiré la couleur des tentures murales et des boutis délicats.

## Hôtel Carré Vieux-Port

📞 04 91 33 02 33 ; www.hotel-carre-vieux-port.com ; 6 rue Beauvau, 1er ; s/d 90-127/97-134 € selon ch et saison ; 🛜❄️ ; Ⓜ Vieux-Port

Bien situé, récemment refait, cet hôtel trois étoiles offre quelques petits plus : une bouilloire et de quoi grignoter dans chaque chambre, la gratuité pour les enfants de moins de 10 ans et des tarifs préférentiels pour le parking de l'hôtel de ville en cas de séjour longue durée.

## Hôtel Edmond-Rostand

📞 04 91 37 74 95 ; www.hoteledmondrostand.com ; 31 rue Dragon, 6e ; ch 71-115 € ; ❄️ ; Ⓜ Castellane

Une adresse centrale et pratique, à deux pas de la maison où naquit l'auteur de *Cyrano de Bergerac*. Confortables chambres insonorisées aménagées dans un esprit déco. Pour des séjours prolongés, l'hôtel loue aussi des studios et appartements, dont certains, tout à côté, sont résolument vintage ! Également sur place, un salon de thé, récemment confié aux mains de Serena B.

## Hôtel Mariette-Pacha

📞 04 91 52 30 77 ; www.mariettepacha.fr ; 5 place du 4-Septembre, 7e ; s/d/familiale 60-75/90-100/135 € ; ❄️🛜Ⓟ ; bus no 83

On se sent vite chez soi dans cet hôtel qui tire son nom d'un paquebot baptisé en l'honneur de l'égyptologue français Auguste Mariette. Couleurs chaudes ou ambiance marine pour des chambres coquettes qui fleurent bon la Méditerranée. Attention particulière réservée aux plongeurs.

### Hôtel le Richelieu

☎ 04 91 31 01 92 ; www.lerichelieu-marseille.com ; 52 corniche J.-F.-Kennedy, 7ᵉ ; ch standard 76-100 € selon saison, ch confort 97-114 €, suite 105-130 € ; ❄ ☎ ; bus nº83

S'il est une adresse à Marseille où dormir en ayant la mer plein la vue, c'est bien celle-ci. Logé à deux pas de la plage des Catalans, ce charmant petit hôtel a récemment été refait, les chambres offrant tout le confort voulu, et celles de catégorie supérieure une déco tendance design.

### Hôtel Le Mistral

☎ 04 91 73 44 69 ; www.hotelmistral.fr ; 31 av. de la Pointe-Rouge, 8ᵉ ; s/d/tr/qua 53-80/59-90/85-95/110 € selon confort ; ❄ ☎ ; bus nº19

Bon rapport qualité/prix pour ce petit hôtel du bord de mer. Idéalement situé face à la plage de la Pointe-Rouge, il abrite des chambres à la décoration chaleureuse et soignée, qui bénéficient, pour certaines, d'une vue sur la mer. Grand choix à proximité pour se restaurer.

### Mama Shelter

☎ 04 84 35 20 00 ; www.mamashelter.com ; 64 rue de la Loubière, 6ᵉ ; ch 69-200 € ; ☎ ❄ P (17 € la journée) ; Ⓜ Baille ou Notre-Dame-du-Mont

Après son succès parisien, le Mama Shelter décline sa formule branchée en régions. On retrouve ainsi la patte Philippe Starck dans la version marseillaise, située hors de l'hyper-centre, avec des chambres au design épuré, rehaussées de couleurs acidulées (et d'un curieux sol lino), toutes équipées d'écrans iMAC avec un service gratuit de vidéo à la demande.

### Hôtel Le Corbusier

☎ 04 91 16 78 00 ; www.hotellecorbusier.com ; 280 bd Michelet, 8ᵉ ; ch 75/135 €, suite et studio 145 € ; ❄ ☎ P ; Ⓜ Rond-Point-du-Prado puis bus nº 21 ou 22

Une nuit dans une œuvre d'art ? Au cœur de la Cité radieuse, vous aurez le choix entre deux chambres, deux studios et une minisuite, avec, selon les cas, vue sur la mer. Tout est d'origine, du parquet en chêne aux douches "cabine de bateau".

### Hôtel du Palais

☎ 04 91 37 78 86 ; www.hoteldupalaismarseille.com ; 26 rue Breteuil, 6ᵉ ; d 95-130 €, 15 € la 3ᵉ pers ; ❄ @ ☎ ; Ⓜ Préfecture

Des airs d'hôtel particulier pour cette adresse au charme très sophistiqué. Les chambres, tout en décoration bourgeoise et raffinée, rivalisent d'élégance. Mention spéciale pour celles aux tons grenat, situées sous les toits. Elles sont plus petites que les autres, mais empreintes d'une adorable touche britannique qui nous a beaucoup séduits.

## Catégorie supérieure

### Escale Océania

☎ 04 91 90 61 61 ; www.oceaniahotels.com ; 5 la Canebière, 1ᵉʳ ; d/tr 142-162/157-182 € selon cat. ; ❄ ☎ ; Ⓜ Vieux-Port

Logé dans un bel immeuble en bas de la Canebière, cet hôtel a récemment bénéficié d'une importante rénovation. Les chambres supérieures offrent depuis leur balcon une vue d'angle sur le Vieux-Port, mais les chambres dites confort sont très bien aussi, surtout les mansardées du dernier étage.

### Hôtel La Résidence du Vieux-Port

📞 04 91 91 91 22 ; www.hotel-residence-marseille.com ; 18 quai du Port, 2ᵉ ; ch 129-265 € selon cat et saison, suite 244-395 € ; ❄ 🛜 ; Ⓜ Vieux-Port

L'atout de cet hôtel refait à neuf dans un esprit années 1950 est avant tout intéressant pour la vue qu'il offre sur Notre-Dame-de-la-Garde, dont on jouit depuis les chambres côté port (la très grande majorité d'entre elles), serties d'un balcon. Différentes catégories de confort, avec mention spéciale pour la suite Notre-Dame, qui tranche par son parquet et son mobilier ancien.

### Hôtel Radisson

📞 04 88 92 19 50 ; www.radissonblu.fr ; 38-40 quai de Rive-Neuve, 7ᵉ ; ch/ste 150-250/350-450 € ; ❄ 🅿 🏊 🛜 ; Ⓜ Vieux-Port

Les 189 chambres (dont 6 suites) sont décorées dans un style très contemporain, d'inspiration africaine ou provençale. Vous pourrez faire quelques brasses dans la piscine extérieure, chauffée, en admirant le Vieux-Port et le fort Saint-Nicolas.

### New Hotel of Marseille

📞 04 91 31 53 15 ; www.new-hotel.com ; 71 bd Charles-Livon, 7ᵉ ; ch standard s/d 240/260 €, ch avec terrasse s/d 295-315 €, suite s/d 250/370 €, offres promotionnelles régulières sur le site Internet ; 🛜 🅿 🏊 ; bus n°82 ou 83

Siroter un verre, les pieds dans l'eau, en jouissant d'une vue privilégiée sur le jardin du Pharo, la rade et le Vieux-

Port ? Voilà une conception du luxe qui ne manque pas d'attrait. Cet hôtel, idéalement situé, renferme en plus de vastes chambres au design épuré.

### New Hotel Bompard

📞 04 91 99 22 22 ; www.new-hotel.com ; 2 rue des Flots-Bleus, 7ᵉ ; ch 160 €, suite 220 €, mas 180-225 € ; ❄ 🏊 🛜

Luxe, calme et volupté sur les hauteurs d'Endoume. Pour quelque chose de vraiment exceptionnel, préférez le "Mas des Genêts" : quatre chambres de charme situées au cœur du parc. Tomettes, meubles en bois patiné et boutis raffinés y composent une atmosphère provençale très réussie.

### Intercontinental Marseille-Hôtel-Dieu

📞 04 91 01 39 74 ; www.intercontinental. com ; 6 pl. Daviel, 2ᵉ ; à partir de 275 € ; ❄ 🏊 🛜 🅿 ; Ⓜ Vieux-Port

Le dernier-né des hôtels de luxe de Marseille, auréolé de 5 étoiles. Installé dans les murs classés monument historique de l'hôtel-Dieu, il possède 194 chambres et suites, dont 72 avec vue sur le Vieux-Port et 33 avec terrasses privatives. Il n'était pas encore ouvert lors du bouclage du guide, mais tous les services d'un établissement de cette catégorie sont au programme : spa, piscine intérieure, restaurants tenus par le chef Lionel Lévy, etc.

# Chambres d'hôtes

## Petits budgets

### La Maison du Petit Canard

📞 04 91 91 40 31/06 17 80 45 43 ; http:// maison.petit.canard.free.fr ; 48 impasse

**Sainte-Françoise, 2ᵉ ; s/d/tr/qua 50/60-70/70/80 €/j ; M Joliette**

Steffi et Youssef vous accueillent dans leur maison du Panier, aux poutres apparentes. Il y a là quatre studios colorés et fonctionnels (1-4 pers) aux prix très raisonnables. Linge fourni, petit-déjeuner inclus. Table d'hôtes sur demande (18 €).

**La Maison de Milly**

📞 04 91 37 42 89 ou 06 29 77 09 79 ; www.lamaisondemilly.com ; d 65-75 € selon saison, 30 € pers.supp, petit déj inclus ; 🛜 ; bus n°57

Dans le quartier Vauban, sur le chemin de Notre-Dame-de-la-Garde, Babeth et Laurent ont aménagé une chambre simple et agréable dans leur maison familiale. Les petits déjeuners se prennent en terrasse (sauf météo mauvaise bien entendu). Bon à savoir : possibilité de louer à la semaine, avec alors une cuisine à disposition.

**Romain & Pascal**

📞 06 77 94 34 50 ; www.bnbromainpascal.com ; 33 rue Falque, 6ᵉ ; ch petit-déj inclus s/d 59-65/70-76 € selon saison, loft et app 176 232 € les deux nuits, 460-660 €/sem ; M Castellane

Une adresse gay friendly de charme, en plein centre-ville. Romain propose une chambre chaleureusement décorée (avec sdb à partager) et une terrasse où il fait bon lézarder aux beaux jours, à l'abri des regards. Également : location à proximité (quartier Vieux-Port ou Castellane) de plusieurs appartements et lofts décorés avec beaucoup de goût.

**Pension Edelweiss**

📞 09 51 23 35 11 ; www.pension-edelweiss.fr ; 6 rue Lafayette, 1ᵉʳ ; ch petit-déj inclus 85-100 €, suite 95-130 € ; ❄ 🛜 ; M Noailles ou Réformés

Tout, dans ce duplex très bien situé, a été amoureusement chiné par David et Bernadette ! Cela donne 4 chambres et une suite très réussies, dont la déco oscille entre les années 1930 et 1970. En semaine, on prend le petit-déjeuner au Comptoir Dugommier, tenu par Madame (voir p.98), et le week-end, à la maison. N'hésitez pas à demander de bonnes petites adresses à vos hôtes, ils sont incollables ! On leur doit aussi, à deux pas de la gare Saint-Charles, la **Casa Ortega** (📞 09 54 32 74 37 ; 46 rue des Petites Maries, 1ᵉʳ ; d 69-95 € selon ch et saison, petit-déj inclus ; ❄ 🛜 ; M Saint-Charles), qui cultive un même esprit rétro avec tout le confort moderne.

**La Bastide du Roucas**

📞 04 91 31 79 83/06 09 84 76 89 ; http://bastide-roucas.com ; 5 rue Étienne-Mein, 7ᵉ ; ch 2 pers 95 €, 4 pers 100 € ; P 🚫 🛜 ; bus n°61

Une ancienne demeure de frères spiritains, dans un havre de paix, avec vue panoramique inoubliable. Deux chambres et une suite pour 4 personnes vous y attendent, dont il se dégage une belle harmonie, entretenue par Anne, la propriétaire des lieux. La plage du Prophète est toute proche.

**Capucine et Coquelicot**

📞 04 91 52 47 37/06 62 22 47 37 ; http://coquelicot.marseille.free.fr ; 16 rue de l'École, 7ᵉ ; ch avec/sans petit-déj 77-82/65-70 €, sem 415-600 € ; @ 🚫 ; bus n°83

Générosité sans chichis pour cette jolie adresse avec un beau jardin en restanque. Pour vous accueillir, un jeune couple dynamique et bricoleur, qui a rénové avec brio et inventivité le studio : évier en pierre de Cassis, tomettes ou galets ramassés sur la plage toute proche. Formule chambre d'hôtes avec petit-déjeuner inclus (excepté juillet et août, location à la semaine seulement) ou location studio avec usage du coin kitchenette. Également : deux studios à la location au Panier.

### Villa d'Orient

☎ 06 03 67 16 38 ; www.villadorient.com ; 30 calanque de Saména, 8ᵉ ; ch basse/haute saison 75-95/85-105 €, petit-déj inclus, studio 350-610 €/sem selon saison ; 🛜 ; bus n°19

Un riad de caractère à deux pas de jolies criques abritées. Preuve de l'audace et du bon goût de vos hôtes : une façade rouge du plus bel effet, 3 chambres et un studio où boiseries colorées et meubles anciens font bon ménage. La terrasse ombragée offre une vue imprenable sur les calanques.

### La Petite Calanque

☎ 06 12 03 18 43 ; www.lapetitecalanque. com ; 22 calanque de Saména, 8ᵉ ; basse/ haute saison ch 80/90 €, suite 85/95 €, petit-déj inclus ; studio 350-610 €/semaine selon saison , 🛜 ; bus n°19

Proche de l'adresse précédente, l'atmosphère oscille ici entre maison de famille et maison coloniale. La chambre et la suite pour 2 personnes (avec salon) arborent de beaux carrelages anciens. Et la mer est évidemment à deux pas !

### Villa Marie-Jeanne

☎ 04 91 85 51 31/06 33 22 10 17 ; www. villa-marie-jeanne.com ; 4 rue Chicot, 12ᵉ ; ch basse/haute saison 65-85/70-90 €, 20 €/pers supp, petit-déj inclus ; ❄🛜Ⓟ ; Ⓜ Saint-Barnabé

Un ancien couvent, au cadre bucolique et reposant, situé dans le même quartier résidentiel que Les Acanthes (voir p. 162). Les trois chambres (dont une bénéficie d'une terrasse privative), paisibles et douillettes, ont été aménagées dans une maisonnette plus moderne, attenante au couvent. Sur réservation, table d'hôtes midi et soir (30 €/pers.), bouillabaisse (50 €/pers. à partir de 4 pers., 60€/pers. pour 2 pers.) et spécialités provençales sur demande.

## Catégorie supérieure

### Au Vieux Panier

☎ 04 91 91 23 72 ; www.auvieuxpanier. com ; 13 rue du Panier, 2ᵉ ; ch 90-135 €, suite 190 € ; ❄🛜 ; Ⓜ Vieux-Port

La jeune propriétaire, Jessica, déborde d'imagination ! Régulièrement, elle donne carte blanche à de jeunes artistes pour décorer ses 6 chambres. Poétiques, fantaisistes et confortables, elles possèdent toutes un poste pour brancher son MP3 et une playlist personnalisée. Certaines, cependant, n'ont pas beaucoup de lumière naturelle (nous sommes dans une vieille bâtisse du XVIIᵉ siècle). Mais au dernier étage, une terrasse donne sur les toits et la mer, où il fait bon siroter un verre et admirer le coucher de soleil !

### Casa Honoré

☎ 04 96 11 01 62 ou 06 09 50 38 52 ; www. casahonore.com ; 123 rue Sainte, 7ᵉ ; ch 150-

200 €, réservation pour 2 nuits minimum, petit-déj inclus ; ❄ 🛜 P ; M Vieux-Port

Le type d'adresse insoupçonnable de l'extérieur. À côté de sa boutique de déco Honoré, la créatrice Annick Lestrohan a ouvert cette maison d'hôtes dont le charme réside avant tout dans l'organisation autour d'un patio intérieur et d'une piscine extérieure. À l'étage, les 4 chambres sont peut-être un peu trop épurées à notre goût mais bien évidemment très déco et tout confort.

## Les Amis de Marseille

📞 06 74 89 66 26 ; www. bnblesamisdemarseille.com ; 84f rue de Lodi, 6ᵉ ; ch petit-déj inclus 88 €, studio 95-110 €/j selon saison ou 470-595 €/sem ; P 🛜 ; M Castellane

Trois chambres au dernier étage d'un élégant appartement meublé dans un style Art déco, avec vue imprenable sur la "Bonne Mère" ! Il y a aussi un studio équipé dans la même résidence.

## La Petite Maison

📞 04 91 31 74 63/06 12 50 12 00 ; www. petitemaisonamarseille.com ; 23 rue Jean-Mermoz, 8ᵉ ; ch 100 € (95 € à partir de 2 nuits), petit-déj inclus, 30 €/pers supp ; 🛜 ; M Périer

Vous serez reçu ici en toute amitié. Depuis des années, La Petite Maison a su rester fidèle au même esprit : des chambres coquettes et lumineuses, un jardin (idéal pour les enfants, quoique les bébés paient aussi 10 €), un accueil sympathique et une délicieuse table d'hôtes sur commande (30 €). Végétariens bienvenus.

## Villa Monticelli

📞 04 91 22 15 20 ; www.villamonticelli.com ; 96 rue du Commandant-Rolland, 8ᵉ ; ch 110-120 €, petit-déj inclus (100-105 €/nuit à partir de 2 nuitées) ; ❄ 🛜 ; M Rond-Point-du-Prado et bus n°19

La dolce vita vous tend les bras dans cette villa d'inspiration toscane, à deux pas des plages du Prado. Vous séjournerez dans des chambres raffinées, décorées, au gré des brocantes, par Colette. L'escalier Art déco mérite le coup d'œil.

## Villa Valflor

📞 04 91 72 03 54 ; www.villavalflor.com ; 13 bd Molinari, 8ᵉ ; ch 99-120 €, 30 € pers.supp, petit-déj inclus ; ❄ 🛜 ; bus n°19

Une grande bastide du XIXᵉ siècle au magnifique jardin planté de palmiers et de bougainvillées. Les grandes chambres sont décorées avec raffinement en fonction du thème choisi (fleurie bleu et blanc, safari...). La suite "Orchidée" bénéficie d'une salle de bains spacieuse et peut accueillir jusqu'à 4 personnes.

## La Villa Blanche

📞 06 70 16 39 94/06 09 28 52 16 ; www. villablanche.fr ; 30 chemin des Grottes-Loubières, 13ᵉ ; ch 2 pers 110-150 €, petit-déj inclus, 34,50 €/adulte sup, 15 € sup enfant ; ❄ P 🏊 ; bus n° 32

Des allures de villa californienne en plein pays de Pagnol : piscine à débordement, chaises en teck et collines alentour... Au choix : une petite chambre tout confort rose et violine ou deux luxueux duplex à l'ambiance africaine ou romantique, pouvant accueillir 2 à 4 personnes.

### Les Acanthes

📞 04 91 49 91 67/06 19 22 41 17 ; www. acanthes13.com ; 69 av. de Saint-Julien, 12ᵉ ; ch 90-110 €, petit-déj inclus, app 2 pers 140 € ; ❄ 📶 P ; Ⓜ Saint-Barnabé

Pour un séjour de charme, vous serez comblé dans cet ancien pavillon de chasse du XVIIᵉ siècle, situé à deux pas de Saint-Barnabé. Trois chambres à l'allure chic, habillées de couleurs sobres et fournies de meubles anciens. Pour ceux qui désirent un peu plus d'intimité, un studio en duplex, qui bénéficie d'une entrée indépendante, d'un coin cuisine et d'une terrasse est aussi proposé.

# Auberge de jeunesse

### Auberge de jeunesse de Bonneveine

📞 04 91 17 63 30 ; www.ajmarseille.org ; impasse du Dr-Bonfils, 8ᵉ ; dort (nuit et petit-déj) 22-26,60 €, ch individuelle (basse saison uniquement) 34,70 € ; 📶 P ; ⏰ fermé mi-déc à mi-janv ; bus n°44

À deux pas du parc Borély, et moins de 10 minutes à pied de la plage, cette sympathique auberge comporte des chambres à 2 lits et de petits dortoirs de 4 à 6 lits, dont certains équipés d'une douche privative.

# Index

**Voir aussi les index des rubriques :**

⚽ **Sports et activités p. 171**

🚫 **Se restaurer p. 171**

🍷 **Prendre un verre p. 172**

✨ **Sortir p. 173**

🛍 **Shopping p. 173**

🛏 **Se loger p. 174**

**A**

**Abbaye Saint-Victor 34**

**Académie, rue de l' 63**

**Accoules**

clocher 52

montée 50

préau 52

anse de la Fausse Monnaie, l' 107

**Anse des Catalans 108**

Avion 152

**B**

**baie des Singes 113**

baignade 139

barquettes, les 35

**Belle de Mai, Friche de la 86, 90**

Belsunce 86

**Bibliothèque de l'Alcazar 96**

Bus 152

**C**

cabanons, les 122

Cabaret Aléatoire 91

Calanques, aux portes des 112

Référence des **sites**

**Calanques 114, 116**

Callelongue 113, 118

**Canebière 86, 94**

**Carro 129**

**Carry-le-Rouet 129**

**Castellane, place 78**

circuits organisés 154

**Cité radieuse 76**

Corniche 102

Côte Bleue 128

**Cours d'Estienne-d'Orves 35**

**Cours Julien 60, 66**

cuisine 132

**D**

dangers 154

**docks, les 53**

**E**

Endoume 102

enfants 134

**Ensuès-la-Redonne 129**

En-Vau 120

**Estaque 128**

**F**

Ferry-boat 33, 154

fêtes et festivals 14

**Fondation Monticelli 128**

Fonds régional d'art contemporain 54

Forum des arts 130

Frioul, îles du 28

**G**

**Goudes 113**

route des 113

**H**

hôpital Caroline 29

hôtel de Cabre 53

hôtel de ville 31

Hôtel-Dieu 52

**I**

**If, château d' 29**

Internet 155

**J**

**jardin de la Colline Puget 78**

Joliette, la 46

**L**

**La Couronne 129**

**La Treille, hameau de 126**

Le Corbusier 77

**Lenche, place de 51**

location de voiture 154

Longchamp 86, 92

Longchamp, palais 88

**M**

**Madrague, port de la 113**

maison des cinématographies de la Méditerranée 126

maison diamantée 32

**Major, cathédrale de 53**

**Malmousque**

port de 107

presqu'île de 106

**Marégraphe 108**

Marseillaise, la 95

mémorial de la Marseillaise 95

Marseille Provence 2013 130

Marseilleveyre 118

Morgiou 119

**MuCEM 26**

musée Cantini 78

musée d'Archéologie méditerranéenne, le 49

musée d'Art contemporain (MAC) 78

musée d'Arts

africains, océaniens et amérindiens 49

musée de l'Empéri 131

musée départemental de l'Arles antique 130

musée des Arts décoratifs, de la Faïence et de la Mode 79

musée des Beaux-Arts, le 89

musée des Docks romains 32

musée d'Histoire de Marseille 31

musée Estrine 130

musée Granet 131

musée Grobet-Labadié 96

musée Réatu 130

musée Regards de Provence 33

musée Ziem 130

muséum d'histoire naturelle 89

N

navettes maritimes 154

Niolon 128

Nouilles 60

Notre-Dame-de-la-Garde 104

O

office du tourisme 155

office du tourisme du pays d'Aubagne 127

Olympique de Marseille 79

Opéra 34

P

Pagnol, Marcel 126

maison natale de Marcel Pagnol 127

palais de la Bourse et musée de la Marine et de l'Économie 95

Panier, le 46, 50

parc balnéaire du Prado 80

parc Borély 79

parc Longchamp 89

parc Montredon-Campagne Pastré 112

parc Valmer 109

pétanque 16, 143

Pharo, palais du 108

Pierres Plates 107

plage du Prophète 109

Plaine, la 60, 66

plongée 142

Plus belle la vie 54, 91

porte d'Aix 96

Port-Miou 121

Port-Pin 121

Pouillon, immeubles 31

Prado, parc balnéaire du 80

Préfecture 74

Prophète, plage du 109

promenades 117

Proxi-Pousse 96

R

randonnées 118

réductions 155

République, rue de la 51

Ricciotti, Rudy 27

Rouget de Lisle, Claude Joseph 95

S

Saint-Ferréol-Les Augustins, église 30

Saint-Jean, fort 27

Saint-Laurent, église 33

Saména 113

Sausset-les-Pins 129

savon de Marseille 137

sentier du littoral 107

Skate Park 91

Sormiou 118

Stade Vélodrome 78

Sugiton 119

T

taxis 154

Théâtre Massalia 91

Théâtre Silvain 107

Tour-Panorama 91

traditions 140

train 152

transports 152

transports en commun 153

traversée Marseille-Cassis 122

V

Vallon des Auffes 108

vélo 153

Vieille Charité, la 48

vie nocturne 138

Vieux-Port, le 24, 30

Villa Méditerranée 32

voiture 152

W

week-ends Made in Friche, les 91

## Sports et activités

A

Aqua Évasion 142

Archipel 142

B

Bains de Breteuil 85

Bastide des Bains, la 44

C

centre cassidain de plongée 142

centre de loisirs des Goudes 142

Côte Bleue Plongée 142

croisières dans les Calanques 44

E

escalade 122

G

Grasm 142

H

hammam Rafik 73

K

kayak de mer 123

N

navettes maritimes 45

P

petit train 45

Plongée Passion Carry 142

## Z
Zein Oriental Spa 44

## ❌ Se restaurer

20 000 Lieues 113

### A
Akolytes, les 109
Arcenaulx, les 38
Aromat', l' 38
auberge de la Ferme, l' 126

### B
Bataille 68
Belge, le 123
Biscuit et Biscuit 69
Bistrot d'Édouard, le 82
Bobolivo 55
Boîte à Sardine, la 99
Bord de l'Eau, au 113
Boudiou 81
Boutique du Glacier, la 98
Buvards, les 55

### C
Café Lulli 38
Café Vian 68
Cafouch aux Saveurs, le 56
Cantinetta, la 67
Casa No Name 69
Casertane, la 37
Chalet du Jardin 105

Charité Café 49
Chez Fonfon 110
Chez Jeannot 110
Chez Madie-Les Galinettes 35
Chez Michel 110
Chez Noël 98
Chez Sauveur 66
Chez Vincent 37
Cigalon, le 127
Comptoir Dugommier, le 98

### D
Danaïdes, les 98
Débouché, le 99
Déjeuner en ville 36
Dos Hermanas 69

### E
Eau à la Bouche, l' 107
Effet Clochette, l' 54
Éléphant Rose à Pois Blancs, l' 68
Épuisette, l' 110
Escapade Marseillaise, l' 56

### F
Falafel, le 36
Fémina 63

### G
Gamins, les 67
Gilbert et les Rameurs 110
Grain de Sable, le 97
Grain de Sel, le 81
Grandes Tables, les 91

Green Bear Coffee 98
Grotte, la 113

### H
Hosteria, l' 93

### I
Ivoire restaurant 66

### K
Kahéna, la 36

### L
Lan Thaï 68
Limone 82
Livon, le 39
Longchamp Palace, le 92
Lunch, le 123

### M
Malthazar 81
Mangetout 128
Marche à Suivre, la 68
Marmarita, la 70
Mas de Lulli, le 37
Matiti 66
Minoofi Bakery 81
Miramar, le 36

### N
Nautic Bar, le 123

### O
Oliveraie, l' 38
O'Pakistan 68
O'Pédalo 82
O'stop 36

### P
Passerelle, la 66

Pasta e Dolce 82
Peron 110
Petit Nice-Passédat, le 111
Pieds dans le Plat, les 67
Pizza Charly 69
Pizza Papa 69
Poule Noire, la 38

### Q
Qi Restaurant 81

### S
Saf-Saf (Chez Erouel) 97
Spok 56
Sushi Street Café 82

### T
Table à Deniz, la 38
Table du Portugal, la 69
Tako-San 56
Tamaris, les 113
Taraillette, la 70
Tasca, la 70
Tiboulen de Maire, le 113
Toinou 97
Trois Forts, les 109

### V
Vague Gourmande, la 106
Ventre de l'Architecte, le 77
Vieille Pelle, la 55
Virgule, la 36

### Z
Zia Concetta 111

## 🍷 Prendre un verre

**A**
Arômes 57

**B**
Barberousse, le 39
Bar de la Marine, le 41
Bar de la Plaine, le 65
Bar des 13 Coins 57
Bar du Marché, le 65
Baron Perché, le 111
Bistrot Plage, le 111

**C**
Café de la Banque 82
Cafés Debout 39
Caravelle, la 39
Cup of Tea 56

**E**
Endroit, l' 39
Équitable Café 64

**G**
Glacier du Roi, le 56

**M**
Mama Shelter, le 65

**P**
Part des Anges, la 41
Petit Longchamp, le 99
Petit Nice, le 65
Petit Pavillon, le 111
Petit Pernod, le 65
Place Lorette 58
Pointu, le 40
Polikarpov 40

**R**
Red Lion, le 83

**S**
Samaritaine, la 39
Sunlight Social Club 107

**U**
Unic, l' 40

**V**
Victor Café 111

**W**
"Waaw" 65

## ⭐ Sortir

3 G, les 71

**A**
Affranchi, l' 138
Art Haché, l' 71

**B**
Badaboum Théâtre, le 42
Baleine Qui Dit "Vagues", la 70
Dazar, le 83

**C**
Cubaïla Café, le 71

**D**
Daki-Ling-Le Jardin des Muses, le 72
Dock des Suds, le 58

**E**
Embobineuse, l' 100

Éolienne, l' 72
Espace et le Café Julien, l' 70

**G**
Grande Comédie, la 42

**I**
Intermédiaire, l' 71

**K**
Klap, Maison pour la Danse 101

**M**
Machine à Coudre, la 72
Mare au Diable, la 138
Mesón, la 100
Montana Blues 71
Musicatreize 83

**N**
New Cancan, le 100

**O**
Oogiel 65
Opéra, l' 41

**P**
Paradox, le 72
Pêle-Mêle, le 41
petit monde en figurines, le 127
Poste à Galène, le 71

**S**
Silo 58
Spartacus Club 138
Sport's Beach Café 83

**T**
Taxi-Brousse, le 58
Théâtre de la Criée, le 43
Théâtre de Lenche 58
Théâtre de l'Odéon 100
Théâtre du Gymnase 72
Théâtre du Gyptis 100
Théâtre du Merlan, le 138
Théâtre Marie-Jeanne 71
Théâtre Toursky 100
Trolleybus, le 42

**V**
Variétés, les 100

## 🛍️ Shopping

**A**
Arterra-Créateur Santonnier 59

**B**
Bemyself 73
boutique de l'OM, la 44
boutique Éphémère, la 51
Brick City 73

**C**
Chez Louis 85
Chez Michel 44
Chocolatière du Panier, la 58
Comptoir du Panier, le 59

**D**

Dites-Moi Tout 93

**E**

Étoile Errante 59

**F**

Fées Bizar(t), les 73
Floh 72

**H**

Herboristerie du Père
   Blaize, l' 63

**L**

Licorne, la 43, 73
Lolla Marmelade 72
Lollipop Music
   Store 73
London Calling 85
Luciole 84

**M**

Madame Zaza of
   Marseille 73
Maison du Pastis,
   la 43
Maison Empereur,
   la 63
marché
   aux poissons 43
marché
   des Capucins 63
marché du Prado 85
Marine Savonnerie 59
Marseillais, le 43
Marseille
   en Vacances 43
Marseille
   in the Box 44
Mary-Jane 101

Massilia Surf
   Shop 84
Minots de Marseille,
   les 135

**N**

Navettes des
   Accoules, les 59

**P**

Pain de l'Opéra, le 44
Pain de Sucre 84
Pouce 93

**R**

Rose de Tunis, la 101
Royaume de la
   Chantilly, le 93

**S**

Sardine à Paillettes,
   la 135
Savon de Marseille,
   au 43
Seul Monde à
   Marseille, un 59
Studio 19 85
Sylvain Depuichaffray
   84

**T**

Tata Zize 73
Tom - tailleur
   Rasta 101
Torréfaction
   Noailles 101

**U**

Uniq Galerie 85

**V**

Vert Galant, au 85

**X**

Xocoalt 58

**Z**

Zoé la Fée Circus 101

**🛏 Se loger**

**Catégorie
moyenne**

Azur Hôtel 157
Hôtel Alizé 158
Hôtel Carré
   Vieux-Port 158
Hôtel du Palais 159
Hôtel du Sud 157
Hôtel Edmond
   Rostand 158
Hôtel Hermès 158
Hôtel
   Le Corbusier 159
Hôtel Le Mistral 159
Hôtel le Richelieu 159
Hôtel Lutetia 159
Hôtel Mariette Pacha
   158
Hôtel Relax 157
Hôtel
   Saint-Ferréol 158
Le Ryad 157
Mama Shelter 159

**Catégorie
supérieure**

Acanthes, les 164
Amis de Marseille,
   les 163
Au Vieux Panier 162
Casa Honoré 162

Escale Océania 159
Hôtel La Résidence
   du Vieux-Port 160
Hôtel Radisson 160
Intercontinental
   Marseille-Hôtel
   Dieu 160
New Hotel Bompard
   160
New Hotel of Marseille
   160
Petite Maison, la 163
Villa blanche, la 163
Villa Monticelli 163
Villa Valflor 163

**Petits budgets**

Auberge de jeunesse
   de Bonneveine 164
Bastide du Roucas,
   la 161
Capucine
   et Coquelicot 161
Hôtel Lutia 157
Hôtel Peron 157
Hôtel Première
   Classe 156
Hôtel Vertigo 156
Ibis Budget Vieux-Port
   156
Maison de Milly,
   la 161
Maison du petit canard,
   la 160
Pension Edelweiss 161
Petite Calanque,
   la 162
Romain & Pascal 161
Villa d'Orient 162
Villa Marie-Jeanne 162

# En coulisses

## Vos réactions ?

Vos commentaires nous sont très précieux pour améliorer nos guides. Notre équipe lit vos lettres avec la plus grande attention et prend en compte vos remarques pour les prochaines mises à jour. Pour nous faire part de vos réactions, prendre connaissance de notre catalogue et vous abonner à notre newsletter, consultez notre site Internet : **www.lonelyplanet.fr**

Nous reprenons parfois des extraits de notre courrier pour les publier dans nos guides ou sites web. Si vous ne souhaitez pas que vos commentaires soient repris ou que votre nom apparaisse, merci de nous le préciser. Notre politique en matière de confidentialité est disponible sur notre site Internet.

## Un mot de Caroline

Merci à Didier (qui a aussi guidé mes pas vers la Provence !), à Émeline et à toute l'équipe Lonely Planet pour cette belle collaboration, comme toujours. Merci aux filles de l'Atelier 5, une équipe de charme et de choc, et je pèse mes mots ! Mille bises tendres à Mirabelle, éternel soutien depuis Paris, à Stef la bonne fée, à Isa, la seule capable à Marseille de vous affréter un "train de

l'amour", et à Fred, bien évidemment, sans qui Marseille ne serait pas ma nouvelle vie.

## Crédits photographiques

Photographie de couverture : ©Camille Moirenc/homic.fr ; calanque de Sormiou
Photographie p. 4 : ©Basile Vaillant

©Photographies comme indiquées 2013

## À propos de cet ouvrage

Cette 3e édition française de *Marseille En quelques jours* est une création de Lonely Planet/En Voyage Éditions. Les précédentes éditions de ce guide ont été écrites par Isabelle Ros.

**Direction éditoriale**
Didier Férat

**Coordination éditoriale**
Émeline Gontier

**Responsable prépresse**
Jean-Noël Doan

**Maquette**
David Guillet
et Marie Dautel

**Cartographie** AFDEC :
Florence Bonijol,
Martine Marmouget,
Catherine Zacharopoulou

**Couverture** Annabelle Henry

Merci à Jacqueline Menanteau pour sa relecture attentive du texte et à Claire Chevanche pour son travail de référencement.

# Les auteurs

### Caroline Delabroy

Dans l'histoire familiale de Caroline, Marseille, c'est un quai de gare où une grand-mère débarqua d'Algérie, ave son fils et un autre à naître, pour aller rejoindre son mari à Bordeaux. Les échos de la ville sont revenus à Caroline par la voix d'une amie, rencontrée sur les bancs d'une école de journalisme parisienne. Ses talents de fée, lors d'un passage de Caroline dans la cité phocéenne, après u guide (Lonely Planet !) sur la Provence, lui fit rencontrer un Belge, marseillais de cœur. Depuis, ses reportages pour Lonely Planet, c'est au départ de Marseille que Caroline embarque pour les faire. Pour celui-ci, elle a eu un véritable plaisir à arpenter sa ville d'adoption.

### Isabelle Ros

Marseille, Isabelle ne l'a pratiquement jamais quittée. Une véritable histoire d'amour, avec ses baisers passionnés et ses engueulades. Plus tard, il fallut s'éloigner vers la fac, à Aix-en-Provence, puis pousser ensuite jusqu'à Strasbourg pour y faire ses premiers pas de journaliste. Mais c'est à Marseille qu'elle construira son p'tit nid douillet, au rythme de ses reportages pour la télé et la presse écrite. Sans oublier ses vadrouilles et de jolies trouvailles pour Lonely Planet.

**Marseille en quelques jours** 3e édition

© Lonely Planet Publications Pty Ltd 2013
© Lonely Planet et Place des éditeurs 2013

Photographes © comme indiqué 2013

Dépôt légal Avril 2013 - ISBN 978-2-81613-338-7

Photogravure : Nord Compo, Villeneuve d'Ascq
Imprimé par L.E.G.O. Spa (Legatoria Editoriale Giovanni Olivotto), Italie

En Voyage Éditions | un département

Bien que les auteurs et Lonely Planet aien préparé ce guide avec tout le soin nécessaire, nou ne pouvons garantir l'exhaustivité ni l'exactitu du contenu. Lonely Planet ne pourra être te responsable des dommages que pourraient sur les personnes utilisant cet ouvrage.